Gabriele Redden

VEGETARISCHES AUS DEM Backofen

FOTOGRAFIE
Heinz-Josef Beckers

Titelbild:
Michael Brauner

GU GRÄFE UND UNZER

INHALTSVERZEICHNIS

Vegetarisch genießen

Mit seinem Reichtum an Formen, Größen und Farben ist Gemüse für mich das unwiderstehlichste Nahrungsmittel, das wir haben. Zubereitungs- und Kombinationsmöglichkeiten sind schier endlos. Mir haben es besonders die Gerichte aus dem Ofen angetan, sie haben so etwas wunderbar Nostalgisches.

Ofengerichte ziehen an

Gratins oder Aufläufe, die goldgelb überbacken aus dem Ofen kommen, zaubern eine heimelige Atmosphäre um den Tisch, erfreuen nicht nur die Familie, sondern sind auch bei Freunden sehr beliebt. Wenn bei mir zum Beispiel frisches Gemüse in knusprigem Teig mit einer pikanten Sauce auf den Tisch kommt, möchte auch jeder, der nur zufällig vorbeikommt, gerne mitessen.
Viele der Gerichte aus dem Ofen sind ideal für Gäste: Sie sehen nicht nur appetitlich aus, sie duften und schmecken nach mehr und – auch wenn manche etwas aufwendig sind – sie backen ganz von selbst.

Warum ist vegetarisch essen so gesund?

Wer fleischlos genießt, greift bei Gemüse, Kartoffeln, Getreide, Hülsenfrüchten und Obst besonders reichlich zu. Und das ist ganz im Sinne der modernen Ernährungslehre. Gemüse ist in aller Regel fett- und kalorienarm, dafür aber besonders reich an vielen Mineralstoffen und Vitaminen. In der Fachsprache heißt das »hohe Nährstoffdichte« und darauf wird von den Ernährungswissenschaftlern besonders viel Wert gelegt. Denn während Umweltbelastungen und Streß unseren Bedarf an Schutzstoffen eher erhöht haben, kommen wir andererseits, dank bequemer Lebensweise, mit immer weniger Kalorien aus.

Auf Abwechslung und Frische achten

Achten Sie darauf, daß Sie Ihren Speiseplan abwechslungsreich gestalten und möglichst immer frische Lebensmittel verwenden. Entscheidend ist, daß Sie aus allen Lebensmittelgruppen ein paar Vertreter auswählen. Milch und Milchprodukte sollten Sie berücksichtigen, Brot und Getreide, Reis, Nudeln und Kartoffeln dürfen reichlich vorkommen. Ebenso frisches Gemüse und Obst der Saison. Neuesten Erkenntnissen zufolge spielt bei Gemüse und Obst auch die Farbe eine Rolle: Je intensiver sie ist, desto mehr Vitamine enthalten die Früchte – je blasser, desto weniger. Auch Fette und Öle sind nicht überflüssig. Geben Sie hochwertigen Ölen, z. B. Sonnenblumen- und Olivenöl, den Vorzug. Verwenden Sie Butterschmalz, Butter und Margarine maßvoll, und meiden Sie Plattenfette wie Kokos- oder Palmfett ganz.

Was trinkt man dazu?

Mineralwasser ist immer richtig, ob Sie das stille oder das spritzige wählen, bleibt Ihrem Geschmack überlassen. Säfte, die viel Vitamin C enthalten, sind deshalb besonders wichtig, weil Vitamin C die Eisenaufnahme aus pflanzlichen Lebensmitteln um ein Vielfaches verbessert. Kaffee und Tee sind als Getränk zum Essen weniger günstig, weil sie das Eisen binden und dadurch schwerer verfügbar machen.

Welcher Wein paßt dazu?

Aber natürlich brauchen Sie ein Glas Wein – gerade zu Ofengerichten schmeckt er so gut – nicht zu verschmähen. Faustregeln für die Wahl des Weins zu diesen Gerichten gibt es keine, und letztendlich entscheidet immer Ihr ganz persönlicher Geschmack. Ich trinke lieber Rotwein als Weißwein, es sei denn zu leichten Gemüsegratins, da schmeckt mir auch ein leichter Verdicchio oder Riesling. Problematisch ist die Wahl des Weins für mich eigentlich nur bei Gerichten mit Tomaten, die sehr geschmacksintensiv sind. Meistens trinke ich einen kräftigen Chianti oder einen Rioja dazu. Aber Sie mögen vielleicht einen anderen Wein – vertrauen Sie ganz einfach Ihrer Zunge.

Kleine Mengenlehre

1 Teel. Zucker = 5 g
1 Eßl. Zucker = 15 g
1 Eßl. Mehl = 6 g
1 Teel. Mehl = 2 g
1 Eßl. Öl = 8 g
1 Eßl. Butter = 15 g
1 Teel. Öl = 5 g
1 Eßl. Salz = 10 g
1 Teel. Salz = 3 g

1 Eßl. = 3 Teel.
1 Messerspitze = etwa 1/4 Teel.
1 Prise = soviel, wie man zwischen zwei Fingern halten kann, knapp 1/8 Teel.

Die Temperaturstufen bei Gasherden

variieren von Hersteller zu Hersteller. Welche Stufe Ihres Herdes der jeweils angegebenen Temperatur entspricht, entnehmen Sie bitte der Gebrauchsanweisung.

Auf den INHALT kommt es an

Raffiniert gefüllt

Viele Fruchtgemüse wie Auberginen, Tomaten und Paprika bieten sich zum Füllen an und fordern Ihre Phantasie heraus. Fette und Öle geben den Gerichten die entsprechenden Geschmacksnuancen.

Über Fette und Öle

Ohne sie würde alles nur halb so gut schmecken, denn sie bringen das Aroma der Gerichte erst richtig zur Geltung. Sie sorgen für die beliebten Krusten bei Aufläufen und Gratins, machen den Teig geschmeidig und sind nicht zuletzt für den Transport der wichtigen Vitamine A, D und E verantwortlich.

Butter wird in drei Sorten angeboten, die sich in Geschmack und Säuerungsgrad unterscheiden.

• Süßrahmbutter entsteht aus der unveränderten süßen Sahne. Sie schmeckt sahnig mild, und weil sie beim Erhitzen nicht ausflockt und gut bindet, ist sie zum Kochen und Backen besser geeignet als die

• Sauerrahmbutter, die dafür aber viel aromatischer ist. Deshalb geben Sie sie vor dem Servieren eher wie eine Würze an die Gerichte. Die typischen Aromastoffe entstehen bei der Reifung durch Milchsäurebakterien, die dem Rahm vor der Verbutterung zugefügt werden.

• Auch die mildgesäuerte Butter wird durch die Zugabe von Milchsäurebakterien geschmacklich leicht verändert. Außerdem gibt man noch Milchsäure zu, deshalb hat sie eine viel kürzere Reifungszeit.

• Butter aus dem Ausland (beispielsweise aus Irland, Holland, Dänemark oder Frankreich) ist qualitativ gleichwertig, schmeckt aber manchmal etwas anders. Das liegt entweder an der unterschiedlichen Fütterung der Rinder und der damit verbundenen leicht veränderten Fettzusammensetzung oder auch daran, daß die Kuhmilch von anderen Rassen stammt.

Butter ist empfindlich gegen Licht, Wärme und Fremdgerüche. Deshalb am besten in einer Butterdose im Kühlschrank aufbewahren, dort hält sie sich etwa drei Wochen.

Butterschmalz können Sie geöffnet getrost sechs bis acht Wochen verwenden. Landläufig nennt man Butterschmalz auch Schmelzbutter oder geklärte Butter. Tatsächlich wird die Butter geschmolzen und dabei von restlicher Flüssigkeit und Eiweißstoffen befreit. Zurück bleibt das reine Fett, das sich sehr gut zum Braten, Fritieren, Backen und Kochen eignet.

Margarine hat, wie übrigens auch Butter, einen Gesamtfettgehalt von mindestens 80 %. Weil sie hohe Temperaturen verträgt, eignet sie sich speziell zum Kochen, Braten und Backen. Ihr Fett kann aus pflanzlichen oder tierischen Quellen oder aus einer Mischung von beiden stammen. Bei der Pflanzenmargarine dagegen muß der Fettanteil zu mindestens 97 % aus pflanzlichen Fetten bestehen.
Nur Diätmargarine, Reform-Margarine und Diät-Reform-Margarine bestehen aus rein pflanzlichen Fetten. Wegen ihres hohen Anteils an nicht hitzebeständigen, ungesättigten Fettsäuren sollten sie jedoch nur in der kalten Küche eingesetzt werden.

Sonnenblumenöl wird aus den Kernen der Sonnenblume gewonnen. Wegen seines hohen Anteils an Vitamin E und anderer Inhaltsstoffe gilt es als besonders wertvolles Öl. Sein milder Geschmack und seine sonnengelbe Farbe machen es zu einem beliebten Öl für die kalte und warme Küche. In dunklen Glasflaschen oder an einem dunklen kühlen Ort hält es sich bis zu 10 Monaten.

Olivenöl ist hochwertiges Öl und wegen seines ausgeprägten fruchtigen Geschmacks besonders beliebt. Häufig wird es in der kalten Küche für Salatsaucen oder Marinaden verwendet, und die wenigsten wissen, daß Olivenöl sehr hoch erhitzt werden kann, ohne seine wertvollen Eigenschaften zu verlieren. Deshalb ist es sinnvoll, mit Olivenöl zu kochen, zu braten und zu fritieren. Olivenöl wird in drei Qualitäten angeboten. Das »Native Olivenöl extra« und das »Native Olivenöl« sind kaltgepreßte Öle, und das »Olivenöl« ist eine Mischung aus kaltgepreßtem und raffiniertem Öl. Gut verschlossen und nicht über 15° aufbewahrt hält sich Olivenöl bis zu 18 Monaten.

Formen für Gerichte aus dem Ofen

Souffléformen
sind rund und hoch. Es gibt sie in verschiedenen Weiten zwischen 12–22 cm, entweder aus Glas, Hartporzellan, Steingut oder Keramik.

Auflaufformen
sind rund, oval oder eckig, mittelhoch und mit einem Durchmesser von etwa 25 x 15 bis 30 x 40 cm zu haben. Sie sind entweder aus Hartporzellan, Steingut, Keramik, Glas, Email oder Gußeisen hergestellt.

Gratinformen
sind flach und rund. Sie sind mit Weiten von 10–30 cm zu bekommen, aus Steingut, Keramik oder Hartporzellan.

Springformen
können Sie natürlich genauso gut zum Backen von Aufläufen und Co. verwenden.

Bleche
sind für manche Backofengerichte ebenfalls geeignet. Nudelnester kann man zum Beispiel auch hierauf setzen. Für Pizze sind auch die speziellen Pizzableche zu empfehlen.

Zutaten für je 4 Personen

Tomaten mit Schafkäse
1 Bund Oregano
1 Knoblauchzehe
400 g Schafkäse
2 Eßl. Crème fraîche
schwarzer Pfeffer
8 Tomaten
Olivenöl für die Form

Zubereitungszeit:
etwa 20 Minuten

Tomaten mit Gorgonzola
8 Tomaten
1 Bund Basilikum
1 Frühlingszwiebel
100 g Gorgonzola
1 Eßl. Semmelbrösel
1 Teel. grüner Pfeffer
1 Ei
Salz
Butter für die Form

Zubereitungszeit:
etwa 35 Minuten

Tomaten mit Schafkäse

Im Bild • Als Vorspeise geeignet

• Oregano waschen, trockenschütteln und hacken. Den Knoblauch schälen und durchpressen. Schafkäse mit einer Gabel zerdrücken und mit Oregano, Knoblauch, Crème fraîche und Pfeffer vermischen.

• Die Tomaten waschen und trockenreiben. Deckel abschneiden und beiseite legen. Die Tomaten mit einem Teelöffel aushöhlen und die Käsemischung einfüllen. Die Deckel wieder aufsetzen.

• Etwas Olivenöl in eine feuerfeste Form geben, das Tomatenfleisch einfüllen und die Tomaten hineinsetzen. Für 3–5 Minuten unter den Grill schieben.

Pro Portion etwa: 325 kcal/1360 kJ

Tip
Wer keinen Grill hat, kann die Tomaten im vorgeheizten Backofen bei 250° (Mitte, Umluft 230°) etwa 8 Minuten überbacken.

Tomaten mit Gorgonzolafüllung

Gelingt leicht • Pikant

• Den Backofen auf 180° vorheizen. Eine flache Auflaufform fetten. Die Tomaten waschen und trockenreiben. Deckel abschneiden und beiseite legen. Die Früchte vorsichtig aushöhlen. Das ausgehöhlte Fleisch in die Form geben.

• Basilikum waschen und trockentupfen. Die Blättchen fein hacken. Frühlingszwiebel waschen, putzen, trockentupfen und ebenfalls hacken. Gorgonzola in einer Schüssel zerbröckeln und mit den Semmelbröseln, Pfeffer und Ei vermischen.

• Die Masse mit Salz abschmecken, in die Tomaten füllen und die Deckel auflegen. Die Tomaten in die Form setzen und im Backofen (Mitte, Umluft 160°) etwa 20 Minuten backen.

Pro Portion etwa: 195 kcal/805 kJ

Kartoffeln mit Steinpilzfüllung

Preiswert • Im Bild

• Die Steinpilze in lauwarmem Wasser etwa 2 Stunden einweichen. Die Kartoffeln gründlich waschen und trockenreiben. Bei 180° (Umluft 160°) im Backofen etwa 1 Stunde backen. Herausnehmen und abkühlen lassen.
Die Kartoffeln halbieren und so aushöhlen, daß ein etwa 1 cm breiter Rand erhalten bleibt.

• Den Backofen auf 250° vorheizen. Das Backblech fetten. Die Crème fraîche mit dem Kartoffelfleisch vermischen und mit Salz und Pfeffer würzen. Die Steinpilze gut abspülen, abtropfen lassen, trockentupfen und fein hacken. Schnittlauch waschen, trockenschütteln und fein schneiden. Mit den Pilzen unter die Kartoffelmischung heben.

• Die ausgehöhlten Kartoffeln mit der Mischung füllen, auf das Blech setzen und im Backofen (Mitte, Umluft 230°) etwa 10 Minuten backen.

Pro Portion etwa: 100 kcal/410 kJ

Paprika mit Reis

Exotisch • Gelingt leicht

• Die Brühe zum Kochen bringen. Die Zwiebel schälen und sehr fein würfeln. Butterschmalz erhitzen und Zwiebel anbraten. Koriander, Kreuzkümmel, Kardamon, Nelken und Zimtstangen hinzufügen. Pinienkerne und Sultaninen dazugeben und bei mittlerer Hitze etwa 3 Minuten anbraten. Den Reis kurz mitbraten, die Gemüsebrühe dazugießen und den Reis etwa 20 Minuten garen. Dann Zimtstangen und Nelken entfernen.

• Gleichzeitig reichlich Wasser zum Kochen bringen. Den Backofen auf 180° vorheizen. Eine feuerfeste Form fetten. Die Paprikaschoten waschen, Deckel abschneiden und Kerngehäuse entfernen. Die Schoten im kochenden Wasser etwa 3 Minuten blanchieren (siehe vordere Umschlagklappe), in die Form stellen und mit der Reismischung füllen. Deckel auflegen, restliche Füllung daneben verteilen und 4 Eßlöffel Wasser darüber träufeln. Die Schoten im Backofen (Mitte, Umluft 160°) etwa 15 Minuten backen.

Pro Portion etwa: 450 kcal/2090 kJ

Zutaten für je 4 Personen

Kartoffeln mit Steinpilzfüllung

20 g getrocknete Steinpilze
4 große mehligkochende Kartoffeln
4 Eßl. Crème fraîche
Salz
Pfeffer
1 Bund Schnittlauch
Fett für das Blech

Zubereitungszeit: etwa 2 Stunden 20 Minuten (davon 1 3/4 Stunden Quell- bzw. Back- und Auskühlzeit)

Paprika mit Reis

1/2 l Gemüsebrühe
1 Zwiebel
2 Eßl. Butterschmalz
1/4 Teel. gemahlener Koriander
1/4 Teel. gemahlener Kreuzkümmel
1/4 Teel. gemahlener Kardamon
5 Gewürznelken
4 Zimtstangen
60 g Pinienkerne
4 Eßl. Sultaninen
200 g Reis
je 4 kleine rote und grüne Paprikaschoten
Fett für die Form

Zubereitungszeit: etwa 50 Minuten

Zutaten für 4 Personen

Für die Sauce:
4 rote Paprikaschoten
1 Zwiebel
2 Knoblauchzehen
2 Eßl. Olivenöl
2 Teel. getrockneter Thymian
4 Tomaten
1 Eßl. Weißweinessig
300 ml Gemüsefond (Seite 59; ersatzweise Gemüsebrühe)
Salz
Pfeffer

Für die Cannelloni:
8 Lasagneblätter
Salz
100 g Champignons
2 Eßl. Olivenöl
2 Eßl. Pinienkerne
1/2 Bund Salbei
400 g Ricotta (ital. Frischkäse, siehe Tip)
1 Ei
Salz
Pfeffer
2 Eßl. Parmesan, frisch gerieben
Fett für die Form

Zubereitungszeit: etwa 1 Stunde 20 Minuten

Cannelloni mit Paprikasauce

Schmeckt Kindern • Für Gäste

• Für die Sauce die Paprikaschoten für etwa 15 Minuten unter den Grill legen, dabei mehrfach wenden, bis die Haut Blasen wirft. Unter einem feuchten Tuch abkühlen lassen und häuten, halbieren, putzen und würfeln.

• Zwiebel und Knoblauch schälen und kleinschneiden. Das Öl in einem Topf erhitzen und Zwiebel und Knoblauch mit dem Thymian darin anbraten. Die Stielansätze der Tomaten entfernen, die Früchte überbrühen, häuten, quer halbieren und ohne die Kerne würfeln. Die Tomaten mit Essig und Gemüsefond zu den Zwiebeln geben. Paprika dazugeben und alles mit dem Pürierstab pürieren. Etwas einkochen lassen und mit Salz und Pfeffer würzen.

• Die Lasagneblätter in reichlich Salzwasser etwa 10 Minuten kochen, dann abgießen und auf Küchentüchern ausbreiten. Den Backofen auf 180° vorheizen. Eine breite Auflaufform fetten.

• Die Champignons putzen, gründlich abreiben und fein würfeln. Das Öl in einer Pfanne erhitzen, darin die Pilze bei mittlerer Hitze etwa 5 Minuten dünsten, bis die Flüssigkeit eingekocht ist. Abkühlen lassen.

• Die Pinienkerne in einer trockenen beschichteten Pfanne rösten. Den Salbei waschen, trockenschütteln und die Blätter hacken. Den Ricotta mit den Pilzen, Pinienkernen, dem Salbei und dem Ei vermischen. Mit Salz und Pfeffer abschmecken.

• Etwas Paprikasauce auf dem Boden der Form verteilen. Die Ricottamasse auf die Mitte der Lasagneblätter geben. Die Blätter aufrollen und mit der Nahtstelle nach unten in die Form legen. Die restliche Sauce darüber gießen. Den Parmesan darüber streuen und mit Alufolie abdecken. Die Cannelloni im Backofen (Mitte, Umluft 160°) etwa 30 Minuten backen.

Pro Portion etwa: 660 kcal/2755 kJ

Tip
Statt Ricotta können Sie genausogut Quark verwenden. Nur sollte er etwa 40 % Fett haben, sonst wird die Masse zu trocken.

Gefüllte Champignons

Fürs Buffet • Im Bild

• Pilze gründlich abreiben, nach Möglichkeit nicht waschen. Stiele herausdrehen und fein hacken.

• Schalotten und Knoblauch schälen und fein würfeln. 2 Eßlöffel Butter erhitzen, beides darin anbraten. Pilzstiele mitbraten und salzen. Weißwein dazugeben, bei mittlerer Hitze einkochen lassen. Die Mischung in eine Schüssel geben.

• Den Backofen auf 180° vorheizen. Eine flache Auflaufform fetten. Petersilie und Thymian waschen, trockentupfen und Blättchen abzupfen. Petersilie hacken. Kräuter, Käse, Semmelbrösel und Ei zur Schalottenmischung geben und alles verkneten. Salzen, pfeffern und in die Champignonköpfe füllen.

• Die Champignons in die Form setzen. Restliche Butter schmelzen lassen, Champignons damit bestreichen und im Backofen (Mitte, Umluft 160°) etwa 15 Minuten backen.

Pro Portion etwa: 260 kcal/1095 kJ

Kräutertomaten

Als Vorspeise geeignet • Gelingt leicht

• Den Backofen auf 200° vorheizen. Eine feuerfeste Form fetten.

• Die Tomaten waschen, halbieren und mit einem Teelöffel vorsichtig aushöhlen. Das Tomatenfleisch in die Form geben. Basilikum, Petersilie, Oregano und Thymian waschen und trockentupfen. Kräuterblätter hacken und mit den Semmelbröseln vermischen.

• Den Knoblauch schälen und zu den Kräutern pressen. Frühlingszwiebeln waschen, trockentupfen, in feine Ringe schneiden und zu den Kräutern geben. Eigelb und Olivenöl verrühren und alles unter die Kräutermischung heben. Mit Salz und Pfeffer abschmekken und die Masse in die Tomatenhälften füllen.

• Die Tomaten in die Form setzen und im Backofen (Mitte, Umluft 180°) etwa 15 Minuten überbacken.

Pro Portion etwa: 155 kcal/650 kJ

Zutaten für je 4 Personen

Gefüllte Champignons

12 große Champignons
2 Schalotten
2 Knoblauchzehen
4 Eßl. Butter
Salz
3 Eßl. trockener Weißwein (oder Gemüsebrühe)
1/2 Bund Petersilie
1/2 Bund Thymian
75 g Hartkäse (z. B. Parmesan, Greyerzer), frisch gerieben
40 g Semmelbrösel
1 großes Ei
Pfeffer
Fett für die Form

Zubereitungszeit: etwa 30 Minuten

Kräutertomaten

8 mittelgroße Tomaten
2 Bund Basilikum
je 1 Stengel Petersilie, Oregano und Thymian
50 g Semmelbrösel
4 Knoblauchzehen
4 Frühlingszwiebeln
1 Eigelb
1 Eßl. Olivenöl
Salz
Pfeffer
Fett für die Form

Zubereitungszeit: etwa 30 Minuten

Zutaten für 4 Personen

4 mittelgroße Zucchini
4 Eßl. Butter
Salz
2 Schalotten
250 g Champignons
150 ml trockener Weißwein
1/2 Bund Petersilie
1/2 Bund Estragon
2 Eigelbe
1 Eßl. Vollkorn-Semmelbrösel
Pfeffer
100 ml Gemüsebrühe
1 Eßl. Crème fraîche
Butter für die Form

Zubereitungszeit:
etwa 1 1/4 Stunden

Zucchini mit Pilzfüllung und Weinsauce

Gelingt leicht • Läßt sich gut vorbereiten

• Den Backofen auf 180° vorheizen. Eine große flache Auflaufform fetten. Die Zucchini waschen, abtrocknen und putzen. Die Früchte halbieren, mit einem Löffel das Fruchtmark herausheben, dabei einen etwa 1/2 cm breiten Rand stehenlassen. Das Fruchtmark grob hacken.

• 1 Eßlöffel Butter erhitzen, das Fruchtmark bei starker Hitze etwa 5 Minuten anbraten. Mit Salz abschmecken und möglichst viel Flüssigkeit einkochen lassen.

• Die Schalotten schälen und fein würfeln. Die Champignons gründlich abreiben und hacken. 2 Eßlöffel Butter erhitzen, die Schalottenwürfel darin glasig braten, Pilze dazugeben, salzen und einige Minuten anbraten. 50 ml Weißwein dazugießen und unter Rühren bei mittlerer Hitze die Flüssigkeit einkochen lassen.

• Petersilie und Estragon waschen, trockentupfen und die Blätter hacken. In einer Schüssel das gedünstete Zucchinimark, die Pilze, 1 Eigelb, Kräuter und Semmelbrösel vermischen. Mit Salz und Pfeffer abschmecken. Die Füllung in die Zucchinihälften geben.

• Die Zucchinihälften in die Form legen. Die restliche Butter in Flöckchen darauf setzen, restlichen Weißwein und die Brühe dazugießen. Die Zucchini im Backofen (Mitte, Umluft 160°) etwa 20 Minuten überbacken.

• Die Zucchini aus der Form nehmen und warm stellen. Die Weinbrühe mit Crème fraîche und dem übrigen Eigelb vermischen, unter Rühren erhitzen, bis die Sauce leicht eindickt, aber nicht mehr kochen lassen. Die Sauce zu den gefüllten Zucchini servieren.

Pro Portion etwa: 210 kcal/865 kJ

Auberginen mit Käsefüllung

Gelingt leicht • Für Gäste

• Die Auberginen waschen, längs halbieren und mit einem Teelöffel aushöhlen, dabei einen etwa 1/2 cm breiten Rand stehenlassen. Möhre, Frühlingszwiebel und Zucchino waschen, trockentupfen und putzen, die Möhre schälen. Möhre und Zucchino fein würfeln, Zwiebel in feine Ringe schneiden.

• Den Backofen auf 250° vorheizen. Eine feuerfeste Form fetten. Butterschmalz und Olivenöl erhitzen und das Gemüse darin andünsten, mit 2 Eßlöffeln Wasser bei schwacher Hitze etwa 15 Minuten garen. Dann abkühlen lassen und pürieren. Mit Eigelb und Semmelbröseln mischen und mit Salz, Pfeffer und Paprika würzen. Die Auberginen damit füllen und in die Form setzen.

• Roquefort zerbröckeln, mit Frischkäse und Sahne vermischen und auf die Auberginen verteilen. Im Backofen (Mitte, Umluft 230°) etwa 15 Minuten backen. Während der ersten 10 Minuten mit Alufolie abdecken.

Pro Portion etwa: 235 kcal/1080 kJ

Gefüllte Kohlrabi

Im Bild • Als Vorspeise geeignet

• Die Kohlrabi waschen und schälen. Gemüsefond zum Kochen bringen und die Kohlrabi darin etwa 15 Minuten garen. Herausnehmen, abkühlen lassen und quer halbieren.

• Inzwischen den Backofen auf 180° vorheizen. Eine feuerfeste Form fetten. Die Champignons abreiben oder mit einem Pinsel säubern und in Scheiben schneiden. Die Butter erhitzen und die Pilze darin etwa 2 Minuten dünsten. Spinatblätter waschen und in 1/2 Tasse kochendem Wasser kurz zusammenfallen lassen. Jeweils 2 Spinatblätter und einige Scheiben Champignons auf acht Kohlrabihälften legen. Mit den restlichen Hälften zudecken, in die Form stellen und im Backofen (Mitte, Umluft 160°) etwa 10 Minuten backen.

• Den Knoblauch schälen und durch die Presse drücken. Mit Senf, geriebenem Käse, Weißwein und Sahne vermischen. Mit Salz und Pfeffer würzen.

• Die Käsemasse auf den Kohlrabi verteilen und etwa 4 Minuten überbacken.

Pro Portion etwa: 200 kcal/830 kJ

Zutaten für je 4 Personen

Auberginen mit Käsefüllung

2 große Auberginen
1 Möhre
1 Frühlingszwiebel
1 kleiner Zucchino
1 Eßl. Butterschmalz
1 Eßl. Olivenöl
1 Eigelb
3 Eßl. Semmelbrösel
Salz · Pfeffer
1 Teel. Paprikapulver, edelsüß
50 g Roquefort
100 g Doppelrahmfrischkäse
1 Eßl. Sahne
Fett für die Form

Zubereitungszeit:
etwa 55 Minuten

Gefüllte Kohlrabi

8 kleine zarte Kohlrabi
100 ml Gemüsebrühe
4 große Champignons
1 Eßl. Butter
16 Spinatblätter
1 Knoblauchzehe
1 Eßl. scharfer Senf
je 50g Pecorino und Parmesan, frisch gerieben
3 Eßl. Weißwein (oder Gemüsebrühe)
3 Eßl. Sahne
Salz · Pfeffer
Butter für die Form

Zubereitungszeit:
etwa 55 Minuten

In Form gebracht

Auf krustigem Teig gebacken

Hülsenfrüchte, Gemüse oder Kartoffeln werden mit Saucen, Käse oder Eierschaum bedeckt, unter den Grill geschoben und mit frischen Kräutern gewürzt.

Vitamine – Katalysatoren im Körper
Ohne sie läuft nichts. Sie ermöglichen es dem Körper, richtig zu funktionieren.

Vitamin A, D, E, K sind fettlösliche Vitamine, das heißt, sie werden im Körperfett gespeichert.
• Vitamin A wird für die Augen, gesunde Haut, Haare, Fingernägel und Schleimhäute gebraucht. Außerdem unterstützt es die Immunkräfte. Es steckt in grünem und rotem Gemüse, vor allem in Möhren und im Spinat, in Käse und Eiern.
• Vitamin D wird vom Körper für die Aufnahme von Kalzium benötigt. Wenn Sie sich in der Sonne aufhalten, produziert der Körper es selbst.
• Vitamin E schützt den Körper vor den sogenannten freien Radikalen, die Hormone und Enzyme zerstören. Außerdem hilft es, die krebserzeugende Wirkung vieler Schadstoffe aus der Umwelt zu begrenzen. Es kommt in Schwarzwurzeln, Knollensellerie, Avocados und Paprikaschoten vor.
• Vitamin K ist für die Blutgerinnung verantwortlich. Es steckt in Joghurt, Eigelb, Rapsöl und in grünem Blattgemüse.

Die B-Vitamine sind wasserlöslich. Der Körper kann sie nicht speichern. Was er nicht verbraucht, verläßt den Körper wieder. Deshalb müssen diese Depots immer wieder »nachgefüllt« werden.
Sie sorgen für gut funktionierende Stoffwechselvorgänge und ein starkes Nervensystem. Sie sind vor allem in Getreide, Nüssen, Hefe, grünem Gemüse, Sojabohnen, Eiern und Milchprodukten enthalten. Vitamin B_{12} kommt allerdings hauptsächlich in Fleisch vor. Milch und Käse sind gute Quellen für Vegetarier.

Vitamin C ist ebenfalls wasserlöslich. Es repariert, bildet und festigt das Bindegewebe. Es fördert die Knochenbildung. Eine ausreichende Vitamin-C-Versorgung verhindert Zahnfleischbluten, Grauen Star, Krampfadern und Hämorrhoiden. Es sorgt für eine vermehrte Bildung der Abwehrzellen, die im Falle eines Infekts Viren und Bakterien schlagkräftig bekämpfen. Und gehört mit Vitamin A und Vitamin E zu den wichtigen Immunschutz-Vitaminen. Paprikaschoten, Broccoli, Rosenkohl, Fenchel, Erdbeeren, Zitrusfrüchte und Kiwis sind die Hauptlieferanten des Vitamin C.

Mineralstoffe
sind Bausteine für Knochen, Blutplasma, Muskeln, Zähne und Haare.
• Eisen kommt vor allem in Fleisch vor und ist für die Bildung von roten Blutkörperchen verantwortlich. Für Vegetarier sind Linsen, Vollkornprodukte, Nüsse und Samen, Spinat, Dörrobst (Aprikosen), Eigelb, Brauhefe und Weizenkeime Ersatzquellen für Eisen.
• Kalzium wird für Knochen, Zähne, Muskeln und Nerven gebraucht. Es kommt ausreichend in Milch und Milchprodukten vor.
• Zink braucht der Körper für Wachstums- und Heilungsprozesse. Es steckt zum Beispiel in Weizenkeimen, Käse, Brauhefe, Dörrfeigen, Nüssen und Erbsen, Mangos und Spinat.
• Magnesium sorgt unter anderem für gesunde Nerven- und Muskelfunktionen. Es kommt in Weizenkeimen und Naturreis, vor allem aber in grünem Gemüse, Kohlrabi und Zuckermais vor.
• Jod ist für die Funktion der Schilddrüse unverzichtbar. Die winzigen Mengen, die wir brauchen, sind in Feldsalat, Champignons und natürlich in jodiertem Speisesalz enthalten.

Ballaststoffe
sind kleinste Pflanzenfasern und Quellstoffe, die unsere Verdauung anregen, Schadstoffe binden und sie aus dem Körper befördern. Hülsenfrüchte, Kohl, Wurzel- und Blattgemüse, Vollkorngetreide und Obst sind die Nahrungsmittel, die besonders viele Ballaststoffe liefern.

Energiespender Eiweiß
ist neben Kohlenhydraten vor allem Eiweiß. Die vegetarische Küche findet ihre Eiweißquellen in Hülsenfrüchten, Haferflocken, Eiern, Milch, Joghurt, Käse und Tofu. Diese Nahrungsmittel enthalten übrigens auch viele wichtige Mineralstoffe und B-Vitamine.

Die Hitliste der vegetarischen Küche

Diese Nahrungsmittel enthalten die meisten Vitalstoffe auf 100 g:

Gemüse
Broccoli, Grünkohl, Fenchel, Rosenkohl, Spinat, Paprikaschoten, Möhren, Kohlrabi

Obst
Schwarze Johannisbeeren, rote Johannisbeeren, Erdbeeren, Kiwi, Papaya, Himbeeren, Mango, Heidelbeeren

Getreide
Weizenkeimlinge, Haferflocken, Roggen, Gerste, Naturreis, Hirse, Grünkern

Nüsse/Hülsenfrüchte
Erdnüsse, Sonnenblumenkerne, Haselnüsse, Cashewkerne, Paranüsse, weiße Bohnen, Linsen, Kichererbsen

Zutaten für je 4 Personen

Schafkäse-Kräuter-Soufflé
300 g Schafkäse (Feta)
200 g Quark
3 Eier
50 g Mehl
1 Bund Petersilie
1 Bund Dill
1/2 Bund Basilikum
1/2 Bund Oregano
1/2 Bund Thymian
2 Knoblauchzehen
Salz
schwarzer Pfeffer
Olivenöl für die Form

Zubereitungszeit:
etwa 35 Minuten

Zucchinisoufflé
3 Zucchini
1/4 l Milch
75 g Butter
50 g Mehl
Salz
Pfeffer
Muskatnuß, frisch gerieben
4 Eier
150 g Emmentaler, frisch gerieben
Butter für die Form
1 Eßl. Emmentaler zum Bestreuen

Zubereitungszeit:
etwa 1 1/4 Stunden

Schafkäse-Kräuter-Soufflé

Für Geübte • Dekorativ

• Den Backofen auf 200° vorheizen. Eine Souffléform von etwa 20 cm Durchmesser fetten. Schafkäse würfeln, mit dem Quark und den Eiern in eine Schüssel geben und mit dem Handrührgerät zu einer cremigen Masse verrühren. Dabei das Mehl einrieseln lassen.

• Die Kräuter waschen, trockentupfen und die Blätter fein hacken. Knoblauch schälen und zur Creme pressen. Kräuter, Salz und Pfeffer dazugeben und alles nochmal vermischen.

• Die Masse in die Form streichen. Das Soufflé im Backofen (Mitte, Umluft 180°) etwa 25 Minuten backen. Ofen ausschalten und das Soufflé noch etwa 5 Minuten im Ofen lassen. Sofort servieren. Dazu paßt ein gemischter Salat.

Pro Portion etwa: 370 kcal/1550 kJ

Zucchinisoufflé

Klassiker • Im Bild

• Zucchini waschen, trockenreiben und raspeln. Die Flüssigkeit abgießen.

• Den Backofen auf 190° vorheizen. Die Milch erhitzen. 50 g Butter in einem Topf bei mittlerer Hitze zerlassen. Das Mehl einrühren, dann nach und nach die heiße Milch unterschlagen. Salz, Pfeffer und Muskat untermischen und weiterrühren, bis die Sauce dick wird. Vom Herd nehmen. Die restliche Butter unterrühren. Die Eier trennen. Eine Souffléform gut fetten. Wenn die Masse etwas abgekühlt ist, die Eigelbe einzeln unterrühren. Die Zucchiniraspel trockentupfen und mit dem Käse unterheben. Die Eiweiße steif schlagen und ebenfalls unter die Masse heben.

• Die Zucchini-Käse-Masse in die Form geben. Den Käse darauf streuen und das Soufflé im Backofen (Mitte, Umluft 170°) etwa 35 Minuten backen, bis es gut aufgegangen und die Oberfläche schön braun ist.

Pro Portion etwa: 500 kcal/2095 kJ

Paprika-Tomaten-Zucchini-Pastetchen

Etwas aufwendiger • Schmeckt auch kalt

• Für den Teig das Mehl auf eine Arbeitsplatte geben und in die Mitte eine kleine Mulde drücken. Hefe und Honig vermischen, hineingeben. Salz, Olivenöl, Milch und 150 ml lauwarmes Wasser hinzufügen und alles zu einem glatten Teig verkneten.

• Den Teig zugedeckt an einem warmen Ort 1 Stunde gehen lassen. Er soll zum doppelten Volumen aufgehen.

• Inzwischen für die Füllung Zwiebel und Knoblauch schälen und fein würfeln. Paprika und Zucchini waschen, trockenreiben, halbieren, putzen und fein würfeln. Stielansätze aus den Tomaten schneiden. Die Tomaten überbrühen, häuten, quer halbieren, entkernen und würfeln.

• Das Olivenöl in einer Pfanne erhitzen. Zwiebel und Knoblauch darin glasig braten, dann bei starker Hitze in etwa 3 Minuten unter Rühren Farbe annehmen lassen. Die Paprika- und Zucchiniwürfel dazugeben und etwa 3 Minuten unter Rühren mitbraten, das Paprikapulver kurz miterhitzen. Die Tomatenwürfel hinzufügen und das Gemüse bei starker Hitze etwa 10 Minuten unter Rühren einkochen lassen. Etwas abkühlen lassen.

• Den Backofen auf 180° vorheizen. Das Backblech fetten. Den Teig kurz durchkneten, auf der bemehlten Arbeitsfläche dünn auf die Größe eines Backbleches ausrollen und 12 Quadrate von etwa 12 cm Seitenlänge ausschneiden.

• Die Gemüsemischung in einer Schüssel mit dem Schafkäse und dem Ei gut vermischen, mit Salz und Pfeffer abschmecken. Je 2 Eßlöffel Füllung auf 1 Teigquadrat geben. Den Teig zu einem Rechteck zusammenklappen, an den Rändern leicht andrücken und mit verquirltem Eigelb bestreichen. Etwa 6 Pastetchen auf ein Blech setzen und je Blech im Backofen (Mitte, Umluft 160°) etwa 20 Minuten backen.

Pro Portion etwa: 775 kcal/3255 kJ

Zutaten für 4 Personen

Für den Teig:
500 g Weizenvollkornmehl
30 g Hefe
1 Teel. flüssiger Honig
1½ Teel. Salz
50 ml Olivenöl
150 ml lauwarme Milch

Für die Füllung:
1 Zwiebel
8 Knoblauchzehen
1 kleine grüne Paprikaschote
300 g Zucchini
500 g Tomaten
3 Eßl. Olivenöl
2 Teel. Paprikapulver, edelsüß
200 g Pecorino, frisch gerieben
1 Ei
Salz
Pfeffer
Mehl für die Arbeitsfläche
Fett für das Blech
1 Eigelb zum Bestreichen

Zubereitungszeit: etwa 2½ Stunden (davon pro Blech etwa 20 Minuten Backzeit)

Zutaten für 4 Personen

Für den Quarkblätterteig:
200 g Quark
200 g Mehl
1/4 Teel. Salz
200 g kalte Butter

Für die Füllung:
2 Zwiebeln
1 Knoblauchzehe
400 g Egerlinge
100 g Morcheln (ersatzweise Egerlinge)
4 Stengel Liebstöckel (ersatzweise 8 Stengel Petersilie)
2 Eßl. Butter
50 g gehackte Mandeln
1 Eßl. Sahne
1 Ei
Salz
Pfeffer
Mehl für die Arbeitsfläche
Fett für das Blech
1 Eigelb zum Bestreichen

Zubereitungszeit: etwa 1 3/4 Stunden (davon pro Blech etwa 20 Minuten Backzeit)

Pastetchen mit Pilz-Mandel-Füllung

Für Gäste • Etwas aufwendiger

• Für den Teig den Quark in einem Sieb abtropfen lassen. Das Mehl auf eine Arbeitsplatte häufen, das Salz dazugeben und die Butter in Stückchen darauf setzen. Mit einem Messer durchhacken. Dann schnell zu einem glatten Teig verarbeiten, dabei den Quark nach und nach unterkneten. Eine Kugel formen und in Folie gewickelt etwa 40 Minuten in das Tiefkühlfach legen.

• Für die Füllung Zwiebeln und Knoblauch schälen und fein würfeln. Die Egerlinge putzen, gut abreiben und in Scheiben schneiden. Die Morcheln gründlich abbrausen, trockentupfen und würfeln. Den Liebstöckel waschen, trockenschütteln und die Blätter hacken.

• Die Butter in einer großen Pfanne erhitzen. Zwiebeln und Knoblauch darin glasig braten. Pilze und Liebstöckel dazugeben, etwa 10 Minuten bei mittlerer Hitze dünsten, dann etwa 3 Minuten bei stärkerer Hitze unter Rühren die Pilzflüssigkeit etwas einkochen lassen. In einer Schüssel die Pilze mit den Mandeln, der Sahne und dem Ei vermischen, salzen und pfeffern.

• Den Backofen auf 180° vorheizen. Das Backblech fetten. Den Teig halbieren, eine Hälfte im Kühlschrank lassen. Arbeitsplatte und Nudelholz mit Mehl bestäuben und den Teig etwa 3 mm dick ausrollen. Quadrate (etwa 12 cm groß) ausschneiden. In die Mitte jeweils 2 Eßlöffel Füllung geben, die Quadrate diagonal zusammenklappen. Die Teigränder gut zusammendrücken. Sechs Pastetchen auf ein Blech legen, mit Eigelb bestreichen und im Backofen (Mitte, Umluft 160°) in etwa 20 Minuten goldbraun backen. Mit der zweiten Teighälfte genauso verfahren.

Pro Portion etwa: 830 kcal/3460 kJ

Variante:
Lauch-Käse-Pastetchen
Für die Füllung 500 g Lauchringe in 1 Eßlöffel Butter etwa 4 Minuten andünsten. Je 125 g Roquefort und Camembert mit einer Gabel zerdrücken und mit 2 Eiern zu einer Creme verarbeiten. Mit 2 Teelöffeln grünem Pfeffer, Salz und dem Lauch vermischen. Wie beschrieben Pastetchen herstellen und etwa 20 Minuten backen.

Pizza mit Artischocken und Schafkäse

Klassiker • Schmeckt Kindern

Zutaten für 4 Personen

Für den Teig:
500 g Weizenvollkornmehl
42 g Hefe (1 Würfel)
1/2 Teel. Salz
2 Eßl. Olivenöl

Für den Belag:
6 kleine Artischocken
2 kleine Auberginen
2 rote Paprikaschoten
4 große Knoblauchzehen
1/2 Teel. Chilipulver
7 Eßl. Olivenöl
Salz
150 g Schafkäse
100 g Mozzarella
1 Bund Basilikum
Pfeffer
Olivenöl für das Blech
Mehl für die Arbeitsfläche

Ruhezeiten:
etwa 2 1/2 Stunden
Zubereitungszeit:
etwa 1 1/2 Stunden (davon pro Blech etwa 20 Minuten Backzeit)

• Für den Teig 100 g Mehl, die Hefe und 100 ml lauwarmes Wasser zu einem Vorteig verrühren. Den Vorteig an einem warmen Platz etwa 30 Minuten gehen lassen. Restliches Mehl auf eine Arbeitsplatte häufen, eine Mulde eindrücken, Salz, Olivenöl und Vorteig hineingeben und verkneten.

• Nach und nach noch 100 ml Wasser unterarbeiten und alles zu einem geschmeidigen Teig kneten. Zugedeckt an einem warmen Ort etwa 2 Stunden gehen lassen.

• Den Backofen auf 200° vorheizen. Das Backblech fetten. Für den Belag die Artischocken, Auberginen und Paprika waschen und trockentupfen. Auberginen in dünne Scheiben schneiden, Paprika halbieren und die Kerngehäuse entfernen. Mit den Knoblauchzehen auf das Backblech legen. Das Chilipulver in das Olivenöl einrühren und mit einem Teil die Auberginen bestreichen.

• Die Gemüse im Backofen (Mitte, Umluft 180°) etwa 20 Minuten backen, dabei die Auberginen umdrehen und nochmals mit Öl bestreichen.

• Gleichzeitig in einem großen Topf Salzwasser aufkochen lassen. Von den Artischocken Blattspitzen und Stiele abschneiden, die Früchte etwa 20 Minuten im Wasser garen.

• Paprika und Knoblauch schälen. Paprika in streichholzgroße Stifte schneiden. Knoblauch mit einer Gabel zerdrücken. Die Artischocken vierteln.

• Den Pizzateig in vier gleiche Teile teilen. Auf einer bemehlten Arbeitsfläche zu Kreisen von etwa 20 cm Durchmesser ausrollen und je 2 Pizzen auf ein Blech setzen. Jede Portion mit dem restlichen Chili-Öl und dem Knoblauch bestreichen. Die Artischocken, Auberginen und Paprika darauf verteilen. Schafkäse darüber bröckeln. Mozzarella in Scheiben auf den Pizze verteilen. Basilikum waschen, trockenschütteln, die Blättchen hacken und darüber streuen. Mit wenig Olivenöl beträufeln und mit Salz und Pfeffer bestreuen. Im Backofen bei 250° (Mitte, Umluft 230°) pro Blech etwa 20 Minuten backen.

Calzone mit drei Käsesorten

Läßt sich gut vorbereiten • Etwas aufwendiger

• Für den Teig 100 g Mehl, die Hefe und 100 ml lauwarmes Wasser zu einem Vorteig verrühren. Den Vorteig an einem warmen Ort etwa 30 Minuten gehen lassen.

• Restliches Mehl auf eine Arbeitsplatte häufen, eine Mulde eindrücken, Salz, Olivenöl und Vorteig hineingeben und zu einem Teig verarbeiten.

• Nach und nach 100 ml lauwarmes Wasser dazugeben und zu einem geschmeidigen Teig kneten. Den Teig in einer Schüssel, mit einem Tuch bedeckt, an einem warmen Ort etwa 2 Stunden gehen lassen. Er soll zum doppelten Volumen aufgehen.

• Den Backofen auf 250° vorheizen. Für die Füllung den Ricotta in eine Schüssel geben und mit dem Ei vermischen. Den Parmesan dazugeben. Den Mozzarella in kleine Würfel schneiden und alles vermischen.

• Stielansätze aus den Tomaten schneiden. Tomaten überbrühen, quer halbieren und ohne die Kerne fein hacken. Basilikum waschen, trockenschütteln, die Blättchen abzupfen und hacken. Tomaten und Basilikum mit dem Käse vermischen und mit Pfeffer würzen.

• Das Backblech fetten. Den Teig auf der bemehlten Arbeitsfläche einige Minuten durchkneten. In vier gleich große Teile teilen, jedes zu einer etwa 3 mm dicken, kreisrunden Fläche ausrollen.

• Die Füllung auf eine Hälfte der Teigplatten verteilen, dabei einen Rand aussparen. Die Ränder befeuchten, überschlagen und festdrücken. 2 Calzones auf das Blech setzen und an einem warmen Ort etwa 15 Minuten ruhen lassen. Dann die Teigtaschen im Backofen (Mitte, Umluft 230°) pro Blech etwa 20 Minuten backen.

Pro Portion etwa: 780 kcal/3260 kJ

Zutaten für 4 Personen

Für den Teig:
500 g Weizenvollkornmehl
42 g Hefe (1 Würfel)
1/2 Teel. Salz
2 Eßl. Olivenöl

Für die Füllung:
250 g Ricotta
1 Ei
75 g Parmesan, frisch gerieben
200 g Mozzarella
3 große Tomaten
1 Bund Basilikum
schwarzer Pfeffer
Mehl für die Arbeitsfläche
Fett für das Blech

Zubereitungszeit: etwa 3 1/2 Stunden (davon 2 3/4 Stunden Ruhezeiten und pro Blech etwa 20 Minuten Backzeit)

Zutaten für 4–6 Personen

5 tiefgekühlte Blätterteigplatten (300 g)
750 g Spinat
2 Stangen Lauch
2 Knoblauchzehen
je 2 Zweige Rosmarin, Thymian, Majoran
50 g Butter
2 Teel. grüne Pfefferkörner
abgeriebene Schale von 1 unbehandelten Orange
Salz
200 g Schafkäse
200 g Ricotta (oder Hüttenkäse)
2 Eier
50 g Pinienkerne
Mehl für die Arbeitsfläche
Fett für die Form
1 Ei zum Bestreichen

Zubereitungszeit: 1–1¼ Stunden (davon 40–50 Minuten Backzeit)

Spinat-Käse-Pastete

Für Gäste • Als Vorspeise geeignet

• Die Teigplatten ausgebreitet auftauen lassen. Den Backofen auf 200° vorheizen. Eine Pieform von etwa 32 cm Durchmesser fetten. Den Spinat verlesen und waschen. In wenig Wasser etwa 3 Minuten garen, abkühlen lassen und sehr gut ausdrücken. Die Blätter grob hacken. Lauch putzen, waschen und in Ringe schneiden. Knoblauch schälen und fein hakken. Kräuter waschen, trockenschütteln und hacken.

• Die Butter in einer Pfanne schmelzen lassen, den Lauch darin 2–3 Minuten dünsten. Knoblauch, Kräuter, Pfefferkörner, Orangenschale und Salz etwa 3 Minuten mitdünsten. In einer Schüssel mit Spinat, Käse und Eiern mischen. Mit Salz abschmecken.

• Auf einer bemehlten Arbeitsfläche 3 Teigplatten aufeinanderlegen und zu einem Kreis von 34 cm Durchmesser ausrollen. In die Form legen. Mit Pinienkernen bestreuen, die Füllung hineingeben und glattstreichen.

• 2 Teigplatten aufeinanderlegen und zu einem 32 cm großen Kreis ausrollen, auf die Füllung legen. Die Ränder mit Ei bestreichen und zusammendrücken. Teigreste ausstechen und mit Eigelb festkleben. Die Teigoberfläche mit verrührtem Eigelb bestreichen und die Pastete im Backofen (Mitte, Umluft 180°) 40–50 Minuten backen.

Bei 6 Personen pro Portion etwa: 540 kcal/2245 kJ

Variante

Ricotta-Basilikum-Torte

2 aufgetaute Blätterteigplatten zu einem Teigboden von 26 cm Durchmesser ausrollen und eine gefettete Form damit auslegen. 250 g getrocknete Bohnen einfüllen und den Boden bei 200° im Backofen (Mitte, Umluft 180°) etwa 10 Minuten blind backen. Die Bohnen entfernen. 50 g gehacktes Basilikum, 2 Eßlöffel Olivenöl, 350 g Ricotta und 3 Eßlöffel geriebenen Parmesan mit Pfeffer im Blitzhacker kurz mixen. 3 Eier und 5 Eßlöffel Sahne untermischen. 30 g getrocknete Tomaten kleinschneiden und mit 12 schwarzen gehackten Oliven unterheben. Die Mischung auf den Teig geben und wie beschrieben backen.

Zutaten für 1 Springform von 26 cm ∅

Für den Teig:
200 g Weizenvollkornmehl
1 Eigelb
1/2 Teel. Honig
1/2 Teel. Salz
100 g eiskalte Butter
75 ml Eiswasser
500 g getrocknete Bohnen zum Blindbacken

Für die Füllung:
3 Bund Schnittlauch
4 Eier
100 g Sahne
150 g Crème fraîche
60 g Greyerzer, frisch gerieben
Muskatnuß, frisch gerieben
Salz
Pfeffer
Mehl für die Arbeitsfläche
Fett für die Form

Zubereitungszeit:
etwa 1 1/2 Stunden

Schnittlauchquiche

Als Vorspeise geeignet • Für Gäste

• Für den Teig das Mehl auf eine Arbeitsplatte häufen, eine Mulde eindrücken und das Eigelb, den Honig und das Salz hineingeben. Die Butter in Stücken auf das Mehl setzen und alles mit einem Messer durchhacken. Nach und nach das Eiswasser in den Teig kneten. Den Teig in eine Folie wickeln und etwa 30 Minuten ins Tiefkühlfach legen. Währenddessen den Backofen auf 180° vorheizen.

• Arbeitsplatte und Nudelholz mit Mehl bestäuben und den Teig dünn ausrollen. Die Backform fetten und den Teig hineinlegen, dabei einen etwa 2 cm hohen Rand formen. Zum Blindbacken den Teig mit den getrockneten Bohnen füllen und im Backofen (Mitte, Umluft 160°) etwa 10 Minuten backen. Dann die Form aus dem Ofen nehmen und die Bohnen entfernen. Den Backofen eingeschaltet lassen.

• Für die Füllung den Schnittlauch waschen, trockenschütteln und in feine Röllchen schneiden. Die Eier verquirlen, mit der Sahne und der Crème fraîche glattrühren. Den Käse und den Schnittlauch dazugeben, mit Muskat, Salz und Pfeffer abschmecken. Die Füllung auf den Teigboden gießen. Die Quiche im Backofen (Mitte) etwa 20 Minuten backen.

Bei 6 Personen pro Portion etwa:
410 kcal/1715 kJ

Variante:
Broccoli-Camembert-Quiche
Für die Füllung 300 g Broccoliröschen etwa 8 Minuten vorgaren und auf dem Teig in der Form verteilen. 4 Eier und 250 g Sahne mit Salz, Pfeffer und Muskat verquirlen und darüber gießen. 150 g reifen Camembert in Scheiben rosettenförmig darauf verteilen. Die Quiche wie beschrieben backen.

UNTER DER HAUBE

Fein überbacken

Pizza, Pies, Pasteten und Co. sehen nicht nur hübsch aus, sie haben es auch in sich: viel Gemüse, Hülsenfrüchte, Pilze und damit auch viele wichtige Vitamine und Mineralstoffe.

Die wichtigsten Kräuter in Steckbriefen

Was wäre eine Gemüseküche ohne Kräuter? Sie machen das Kochen zum Abenteuer. Im Garten oder in Töpfen auf dem Balkon lassen sie sich wunderbar selber ziehen. Hier meine unverzichtbare Auswahl für die Gerichte in diesem Buch.

Basilikum

erinnert uns zwar an die Mittelmeerküche, aber es stammt aus dem tropischen Indien. Es unterstreicht mit seinem wunderbaren Aroma den Eigengeschmack von Tomaten, Paprika, Zucchini und vielen anderen Gemüsen.

Der Tip für den Gärtner:

Da Basilikum nicht winterfest ist, kann es erst Mitte Mai an ein halbschattiges Plätzchen ausgesät werden. 8 Wochen später können Sie die ersten Gerichte mit eigenem Basilikum würzen.

Dill

war schon im alten Ägypten wegen seiner nervenberuhigenden Wirkung bekannt. Er wird gerne zum Einlegen von Gurken und anderem Gemüse, in Kräutermarinaden und Quark verwendet. Dill schmeckt aber auch in Eiergerichten, zu Kartoffeln und Wurzelgemüsen.

Der Tip für den Gärtner:

Säen Sie ihn am besten im April in eine sonnige Ecke Ihres Gartens. Etwa 8 Wochen später können Sie die ersten Dillsträußchen schneiden. Er sät sich für das folgende Jahr reichlich selbst wieder aus.

Majoran

stammt aus Nordafrika und war schon im Altertum ein beliebtes Würzkraut. Bratkartoffeln und anderen Pfannengerichten verleiht er mit seinem herzhaften Aroma besondere Würze.

Der Tip für den Gärtner:

Im Mai an einem geschützten Platz im Garten übersteht er manchmal sogar den Winter. Ab Juli können Sie ihn ernten. Vor dem Blühen gepflückt, kann er auch getrocknet werden.

Oregano
wächst in Mitteleuropa, Kleinasien, Nordafrika bis hinauf in den Himalaja. Vor allem Pasta und Pizza werden gerne mit Oregano gewürzt.
Der Tip für den Gärtner:
Er ist der robustere Bruder des Majoran, daher mehrjährig. Im Mai auf kalkhaltigem Boden ausgesät, ist er ab Juli zu ernten. Auch er läßt sich, vor der Blüte gepflückt, gut trocknen, ohne sein Aroma einzubüßen.

Petersilie
ist unbestritten das bekannteste Würzkraut. Es wird in allen Küchen der Welt verwendet.
Der Tip für den Gärtner:
Etwa 8 Wochen nach der Aussaat im Mai können Sie bis in den Oktober hinein Petersilie ernten. Petersilie ist einjährig und sollte nicht getrocknet werden.

Rosmarin,
der Aphrodite geweiht, ist ein rein mediterranes Gewächs. Klosterbrüder brachten ihn nach Deutschland und verwendeten ihn als Heilmittel und als Bannkraut gegen die bösen Geister.
In der Küche gibt man ihn gerne an Kartoffeln, Auberginen, Tomaten, Zucchini.
Der Tip für den Gärtner:
Am besten zieht man ihn in Töpfen, damit man ihn gegebenenfalls im Winter warm stellen kann, denn er ist sehr frostempfindlich.

Schnittlauch,
ähnlich wie Petersilie, kennt jedes Kind. Er wurde aus Zentralasien nach Deutschland gebracht und immer schon vorwiegend zum Würzen von vielen Speisen verwendet. Kochen verträgt er nicht, deshalb an heiße Gerichte erst kurz vor dem Servieren geben.
Der Tip für den Gärtner:
Schnittlauch ist einjährig und kann ab April ausgesät werden. Nach etwa 8 Wochen können Sie ihn bis in den Oktober schneiden.

Thymian
ist rund um das Mittelmeer vor allem an Felsenküsten zu finden. Als Würze wird er für Tomaten, Auberginen, Zucchini und Hülsenfrüchte geschätzt.
Der Tip für den Gärtner:
Nur an sonnigen, geschützten Plätzen gedeiht Thymian. Wenn Sie ihn im Mai aussäen, haben Sie den ganzen Sommer frischen Thymian für Ihre Pastagerichte.

Raffinierte Kräutersaucen
Beide passen zu vielen Gratins, Aufläufen und Quiches. Ihr Geschmack entscheidet.

Salsa verde (1/4 l)
3 Schalotten, 3 Bund Petersilie, 2 Bund Basilikum, 2 Knoblauchzehen, 3 Eßlöffel Kapern, Schale und Saft von 1 1/2 Zitronen, 175 ml Olivenöl, Salz und Pfeffer im Mixer pürieren.
In einem luftdichten Glas hält sich die Sauce im Kühlschrank 1 Woche. Beim Servieren sollte sie Zimmertemperatur haben.

Minze-Joghurt-Sauce (350 ml)
300 g griechischen Joghurt, 1 Eßlöffel Olivenöl, 1/2 Eßlöffel Zitronensaft, Salz und Pfeffer verrühren. 2 Bund gehackte Minze und 1 durchgepreßte Knoblauchzehe untermischen. Vor dem Servieren etwa 1 Stunde kalt stellen.
Die Sauce muß sofort verbraucht werden, sie läßt sich nicht aufbewahren.

Chicorée-Tomaten-Gratin

Ganz einfach • Preiswert

• Den Backofen auf 200° vorheizen. Salzwasser zum Kochen bringen. Chicorée putzen, waschen, trockentupfen und längs halbieren. Etwa 2 Minuten blanchieren (siehe vordere Umschlagklappe). Tomaten waschen und ohne Stielansätze quer in Scheiben schneiden. Eine große flache Auflaufform fetten. Die Chicoréehälften abwechselnd mit den Tomaten in die Form legen. Mit Olivenöl bepinseln und mit Salz und Pfeffer würzen.

• Frühlingszwiebeln und Kräuter waschen. Zwiebeln in Ringe schneiden, Kräuter hacken. Knoblauch schälen und fein würfeln. Alles über die Gemüse streuen. Restliches Olivenöl darüber verteilen. Parmesan und Semmelbrösel darüber streuen und die Butter in Flöckchen darauf verteilen.

• Das Gratin im Backofen (Mitte, Umluft 180°) etwa 15 Minuten backen.

Pro Portion etwa: 250 kcal/1050 kJ

Fenchel mit Parmesankruste

Im Bild • Raffiniert

• Salzwasser aufkochen lassen. Die Fenchelknollen putzen, waschen und halbieren. In etwa 10 Minuten bißfest kochen, dann abgießen.

• Gleichzeitig Knoblauch schälen und fein würfeln. Stielansätze der Tomaten entfernen. Tomaten überbrühen, häuten, quer halbieren und ohne Kerne grob hacken. 1 Eßlöffel Butter und das Olivenöl in einem Topf erhitzen. Knoblauch, Tomaten, Salz und Pfeffer dazugeben und bei mittlerer Hitze in etwa 15 Minuten einkochen lassen, dabei ab und zu umrühren. Währenddessen den Backofen auf 200° vorheizen. Die Kräuter waschen, trockenschütteln und hacken. Unter die Sauce heben.

• Eine Gratinform fetten, die Fenchelknollen hineinlegen, mit der Tomatensauce begießen. Semmelbrösel, Parmesan und Zitronenschale darüber streuen, die restliche Butter in Flöckchen darauf verteilen. Im Backofen (Mitte, Umluft 180°) etwa 15 Minuten überbacken.

Pro Portion etwa: 310 kcal/1295 kJ

Zutaten für je 4 Personen

Chicorée-Tomaten-Gratin

Salz
4 große Chicorée
4 mittelgroße Tomaten
2 Eßl. Olivenöl
Pfeffer
2 Frühlingszwiebeln
je 2 Zweige Oregano, Basilikum und Thymian
2 Knoblauchzehen
50 g Parmesan, frisch gerieben
3 Eßl. Semmelbrösel
2 1/2 Eßl. Butter
Olivenöl für die Form

Zubereitungszeit: etwa 30 Minuten

Fenchel mit Parmesankruste

Salz
4 Fenchelknollen
2 Knoblauchzehen
750 g Tomaten
4 Eßl. Butter
2 Eßl. Olivenöl
Pfeffer
je 1/2 Bund Basilikum, Oregano und Thymian
50 g Vollkorn-Semmelbrösel
50 g Parmesan, frisch gerieben
abgeriebene Schale von 1 unbehandelten Zitrone
Butter für die Form

Zubereitungszeit: etwa 50 Minuten

Zutaten für 4 Personen

700 g Auberginen
6 Eßl. Olivenöl
1 Knoblauchzehe
2 Schalotten
300 g Tomaten
1 Bund Petersilie
1/2 Bund Basilikum
1/2 Bund Oregano
1/2 Bund Thymian
12 schwarze Oliven
Salz
schwarzer Pfeffer
400 g Mozzarella
60 g Parmesan, frisch gerieben
Öl für die Form

Zubereitungszeit: etwa 45 Minuten

Auberginen-Tomaten-Gratin

Gelingt leicht • Läßt sich gut vorbereiten

• Den Backofen auf 180° vorheizen. Die Auberginen waschen, trockentupfen, putzen und in etwa 1 cm dicke Scheiben schneiden. Ein Backblech mit 1 Eßlöffel Olivenöl ausstreichen, die Auberginenscheiben darauf legen, mit 2 Eßlöffeln Olivenöl beträufeln, im Backofen (Mitte, Umluft 160°) etwa 15 Minuten backen. Den Backofen dann nicht ausschalten.

• Inzwischen den Knoblauch und die Schalotten schälen und fein würfeln. Stielansätze der Tomaten entfernen. Tomaten mit kochendem Wasser überbrühen und sofort häuten. Tomaten in kleine Stücke schneiden, dabei die Kerne entfernen. Die Kräuter waschen, trockentupfen und fein hacken.

• In einem Topf das restliche Olivenöl erhitzen, Knoblauch- und Schalottenwürfel darin anbraten. Die Tomatenwürfel dazugeben und alles etwa 5 Minuten köcheln lassen. Die Kräuter unterrühren.

• Die Oliven entsteinen, grob hacken und in die Sauce geben. Mit Salz und Pfeffer abschmecken.

• Eine feuerfeste Form mit 1 Eßlöffel Öl ausstreichen. Die Auberginenscheiben vom Backblech nehmen und gewendet in die Form legen. Die Tomatensauce darüber gießen. Den Mozzarella in Scheiben schneiden und auf die Auberginen legen. Das Gratin mit Parmesan bestreuen und im Backofen (Mitte, Umluft 160°) etwa 20 Minuten backen.

Pro Portion etwa: 475 kcal/1990 kJ

Variante:
Statt Auberginen probieren Sie doch mal Zucchini oder in dünne Scheiben geschnittenen Fenchel. Sie verfahren genauso wie bei den Auberginen. Dieses Gericht läßt sich gut einfrieren.

Bohnengratin

Deftig • Läßt sich gut vorbereiten

• Die Zwiebel schälen und in feine Würfel schneiden. Die Stielansätze aus den Tomaten schneiden. Die Tomaten überbrühen, häuten, quer halbieren und ohne die Kerne in Würfel schneiden. Olivenöl erhitzen und Zwiebel und Tomatenwürfel darin etwa 5 Minuten dünsten. Rote und weiße Bohnen (nach Belieben abtropfen lassen) hinzufügen.

• Bohnenkraut waschen, trockenschütteln und hacken. Mit dem Lorbeerblatt und dem Fond zu den Bohnen geben und etwa 20 Minuten köcheln lassen. Mit Salz und Pfeffer würzen.

• Inzwischen den Backofen auf 200° vorheizen. Eine Gratinform fetten, Bohnen-Tomaten-Mischung in die Form füllen. Parmesan und Semmelbrösel vermischen und über die Bohnen streuen. Butter erwärmen und darüber träufeln. Das Gratin im Backofen (Mitte, Umluft 180°) etwa 15 Minuten gratinieren.

Pro Portion etwa: 675 kcal/2825 kJ

Nudelgratin

Im Bild • Dekorativ

• Spinat verlesen, waschen und in wenig kochendem Wasser zusammenfallen lassen. Abkühlen lassen, gut ausdrücken und hacken.

• Den Backofen auf 250° vorheizen. Die Formen fetten. Reichlich Salzwasser aufkochen lassen. Die Nudeln darin bißfest kochen, dann abtropfen lassen.

• Inzwischen den Knoblauch schälen und fein würfeln. Tomate überbrühen, häuten und ohne Stielansatz und Kerne in Würfel schneiden. Basilikum waschen, trockenschütteln, Blättchen in feine Streifen schneiden.

• Butter erhitzen und Knoblauch darin anbraten. Spinat schwenken und herausnehmen. Tomate und Basilikum kurz andünsten, salzen und pfeffern.

• Die Nudeln mit dem Olivenöl mischen und in die Form geben. Spinat jeweils in die Mitte setzen und Tomatenwürfel darüber verteilen. Käse würfeln und darauf verteilen. Mit Pinienkernen bestreuen und im Backofen (Mitte, Umluft 230°) etwa 5 Minuten überbacken.

Pro Portion etwa: 760 kcal/3180 kJ

Zutaten für je 4 Personen

Bohnengratin

1 Zwiebel
4 kleine reife Tomaten
2 Eßl. Olivenöl
je 1 Dose weiße und rote Bohnen (je 425 g Inhalt)
2 Zweige Bohnenkraut
1 kleines Lorbeerblatt
2 Eßl. Gemüsefond (Seite 77; ersatzweise Gemüsebrühe)
Salz · Pfeffer
100 g Parmesan, frisch gerieben
50 g Semmelbrösel
50 g Butter
Butter für die Form

Zubereitungszeit: etwa 35 Minuten

Nudelgratin

250 g Spinat · Salz
500 g Linguine (sehr schmale Bandnudeln)
2 Knoblauchzehen
1 große Tomate
2 Zweige Basilikum
2 Eßl. Butter · Pfeffer
2 Eßl. Olivenöl
100 g Gorgonzola
100 g Mozzarella
4 Eßl. Pinienkerne
Olivenöl für die Formen
4 kleine Gratinformen

Zubereitungszeit: etwa 25 Minuten

Zutaten für je 4 Personen

Gratinierter Spargel
Salz
1 Teel. Zucker
1 kg grüner Spargel
4 Frühlingszwiebeln
4 Eßl. Butter
weißer Pfeffer
50 g Greyerzer, frisch gerieben
4 Eßl. Semmelbrösel
Butter für die Form

Zubereitungszeit: etwa 45 Minuten

Überbackene grüne Bohnen
Salz
1 kg grüne Bohnen
2 Bund Frühlingszwiebeln
200 g Champignons
4 Eßl. Butter
1 getrocknete Chilischote
1 Eßl. Mehl
1/4 l Milch
Muskatnuß, frisch gerieben
Fett für die Form

Zubereitungszeit: etwa 50 Minuten

Gratinierter Spargel

Als Vorspeise geeignet • Schnell

• Reichlich Wasser mit 1 Teelöffel Salz und dem Zucker zum Kochen bringen. Spargel waschen und schälen, die unteren Enden abschneiden. Den Spargel im Wasser bei mittlerer Hitze etwa 20 Minuten garen.

• Währenddessen den Backofen auf 250° vorheizen. Eine flache feuerfeste Form fetten. Die Zwiebeln putzen, waschen und in feine Ringe schneiden. Die Hälfte der Butter erhitzen und die Zwiebeln darin anbraten. Mit Salz und Pfeffer würzen und vom Herd nehmen.

• Den Spargel aus dem Wasser heben, abtropfen lassen und in die Form legen. Den Käse und die Zwiebeln darübergeben und mit den Semmelbröseln bestreuen. Die restliche Butter schmelzen und darüber träufeln. Im Backofen (Mitte, Umluft 230°) etwa 10 Minuten überbacken.

Pro Portion etwa: 235 kcal/985 kJ

Überbackene grüne Bohnen

Im Bild • Gelingt leicht

• Reichlich Salzwasser aufkochen lassen. Die Bohnen putzen und waschen. Im Salzwasser etwa 10 Minuten garen, kalt abschrecken und abtropfen lassen. Den Backofen auf 180° vorheizen.

• Inzwischen die Frühlingszwiebeln putzen, waschen und in feine Ringe schneiden. Champignons putzen und blättrig schneiden. 3 1/2 Eßlöffel Butter in einer großen Pfanne erhitzen und Zwiebeln und Pilze darin etwa 5 Minuten dünsten. Chilischote zerkleinern und dazugeben.

• Die restliche Butter in einem kleinen Topf schmelzen lassen. Das Mehl darin anschwitzen. Milch erhitzen und mit dem Schneebesen einrühren. Die Sauce zum Kochen bringen und mit Salz und Muskat abschmecken.

• Eine flache feuerfeste Form fetten und die Bohnen hineingeben. Mit Sauce begießen, Pilze darüber verteilen und im Backofen (Mitte, Umluft 160°) etwa 15 Minuten überbacken.

Pro Portion etwa: 305 kcal/1270 kJ

Polenta-Tomaten-Gratin

Spezialität aus Piemont • Gelingt leicht

• Für die Polenta in einen großen Topf 1 l Wasser und $1^1/_2$ Teelöffel Salz geben. Die Polenta zügig (damit sie nicht klumpt) einrühren und unter ständigem Rühren zum Kochen bringen. 3–4 Minuten bei schwacher Hitze rühren, dann zudecken und auf dem ausgeschalteten Herd etwa 10 Minuten quellen lassen. Die Pinienkerne in einer trockenen Pfanne goldbraun rösten. Das Basilikum waschen, trockentupfen und hacken. Mit den Pinienkernen in die Polenta rühren. Die Masse etwa 1 cm hoch auf einem feuchten Küchentuch ausstreichen und abkühlen lassen.

• Gleichzeitig für die Sauce die Tomaten kreuzweise einritzen, überbrühen und häuten. Ohne die Stielansätze in Würfel schneiden. Oregano waschen und die Blättchen abzupfen. Tomaten, Salz und Oregano in einem großen Topf bei mittlerer Hitze in etwa 30 Minuten einkochen lassen. Dabei öfter umrühren.

• Den Backofen auf 200° vorheizen. Die Polenta in etwa 7,5 × 4 cm große Rauten schneiden. Den Mozzarella in Scheiben, den Gorgonzola in Würfel schneiden.

• Eine flache Auflaufform fetten und den Boden mit zwei Dritteln der Tomatensauce bedecken. Die Polenta und die Mozzarellascheiben abwechselnd dachziegelartig darauf anrichten. Den Gorgonzola darüber streuen, danach die restliche Sauce mit einem Löffel darüber träufeln. Mit Pfeffer würzen und mit dem Parmesan bestreuen. Im Backofen (Mitte, Umluft 180°) etwa 30 Minuten backen.

Pro Portion etwa: 395 kcal/1650 kJ

Variante

Wer Polenta nicht so gerne ißt, kann auch Weizengrieß verwenden, er hat einen milderen Geschmack. Die angegebenen Garzeiten gelten auch für Weizengrieß.

Zutaten für 4 Personen

Für die Polenta:
$1^1/_2$ Teel. Salz
225 g vorgegarte Polenta (Maisgrieß)
25 g Pinienkerne
8 große Basilikumblätter

Für die Sauce:
1 kg Tomaten
$^1/_2$ Bund Oregano
1 Teel. Salz

Zum Überbacken:
200 g Mozzarella
75 g Gorgonzola
Pfeffer
75 g Parmesan, frisch gerieben
Fett für die Form

Zubereitungszeit:
etwa $1^1/_2$ Stunden

Zutaten für je 4 Personen

Kartoffel-Zucchini-Gratin
Salz
750 g festkochende Kartoffeln
750 g Zucchini
1 Knoblauchzehe
1 Eßl. Butter
Pfeffer
200 g Gouda, grob gerieben
100 g Sahne
Muskatnuß, frisch gerieben

Zubereitungszeit:
etwa 40 Minuten

Pilzgratin
750 g festkochende Kartoffeln
300 g gemischte Pilze
1 Zwiebel
1 Knoblauchzehe
je 1/2 Bund Thymian und Majoran
5 Eßl. Butter
1 Eßl. Tomatenmark
3 Eßl. Weißwein (oder Gemüsebrühe)
3 Eßl. Gemüsefond (Seite 77; ersatzweise Gemüsebrühe)
Salz · Pfeffer
4 Eßl. Milch · 2 Eßl. Sahne
Muskatnuß, frisch gerieben
50 g Emmentaler, frisch gerieben
Butter für die Form

Zubereitungszeit: etwa
1 Stunde 20 Minuten

Kartoffel-Zucchini-Gratin

Im Bild • Als Beilage geeignet

• Den Backofen auf 220° vorheizen. Reichlich Salzwasser aufkochen lassen. Die Kartoffeln waschen, schälen und in dünne Scheiben schneiden. Im Salzwasser etwa 10 Minuten kochen. Die Zucchini waschen, trockenreiben, putzen und in dünne Scheiben schneiden.

• Den Knoblauch schälen, durchpressen, mit der Butter vermischen und damit eine feuerfeste Form ausstreichen. Zucchini und Kartoffeln dachziegelartig in die Form legen. Mit Salz und Pfeffer würzen.

• Den Käse darüber streuen. Die Sahne mit Muskat vermischen und darüber gießen. Das Gratin im Backofen (Mitte, Umluft 200°) etwa 15 Minuten backen.

Pro Portion etwa: 335 kcal/1395 kJ

Tip
Sie können das Kartoffel-Zucchini-Gratin auch sehr gut als Beilage zu gegrilltem Fisch servieren. Die angegebene Menge reicht dann für 6 Personen.

Pilzgratin

Für Gäste • Braucht etwas Zeit

• Kartoffeln waschen und mit Wasser bedeckt in 20–25 Minuten gar kochen.

• Pilze putzen und abreiben. Große Pilze längs halbieren.

• Den Backofen auf 220° vorheizen. Zwiebel und Knoblauch schälen und fein würfeln. Kräuter waschen, trockenschütteln und hacken. 2 Eßlöffel Butter erhitzen und die Zwiebel darin glasig braten. Pilze etwa 3 Minuten mitdünsten. Tomatenmark, die Hälfte der Kräuter und Knoblauch unterrühren, mit Wein ablöschen. Den Gemüsefond dazugießen und weitere 3 Minuten köcheln lassen. Restliche Kräuter unterrühren, salzen und pfeffern.

• Kartoffeln schälen und zerstampfen. Milch und Sahne unterrühren, mit Salz, Pfeffer und Muskat abschmecken.

• Eine flache Auflaufform fetten und die Pilze einfüllen. Das Kartoffelpüree darauf verteilen. Den Käse darüber streuen und die restliche Butter in Flöckchen darauf setzen. Im Backofen (Mitte, Umluft 200°) etwa 18 Minuten überbacken.

Pro Portion etwa: 290 kcal/1220 kJ

SCHICHT AUF SCHICHT

Unwiderstehliche Aufläufe

Die »Basics« der vegetarischen Küche, auch von Aufläufen und Gratins, sind natürlich die Gemüse, die wir in einer schier unerschöpflichen Vielfalt zur Verfügung haben. Hier und auf den Seiten 76 und 77 stellen sich die wichtigsten vor.

Gemüsesteckbriefe

Gemüse werden in verschiedene Sorten untergliedert. Anhand dieser Gliederung möchten wir Ihnen hier und auf den Seiten 76 und 77 die wichtigsten Gemüse vorstellen.

Stielgemüse

• Artischocken, das Distelgemüse, gibt es rund und spitz, von hellgrün bis violett, groß, dick, schlank und in ganz kleiner Ausführung. Sie sind aus Europa und den USA das ganze Jahr über erhältlich.
Im Gemüsefach des Kühlschranks halten sie sich etwa 4 Tage.

• Staudensellerie wird auch Bleichsellerie genannt und kommt ursprünglich aus dem Mittelmeergebiet. Man bekommt ihn das ganze Jahr über, heimische Freilandware hat von September bis November Saison. Im Gemüsefach des Kühlschranks können Sie ihn etwa 2 Wochen lagern.

Blattgemüse

• Chicorée ist ein typisches Wintergemüse. Von Oktober bis April ist er im Angebot und kommt vor allem aus den Benelux-Staaten. Beim Einkauf achten Sie auf geschlossene Sprossen und kaufen Sie keine mit grünen Spitzen. Chicorée schmeckt am besten, wenn Sie ihn am selben Tag essen. Dunkel im Kühlschrank gelagert können Sie ihn ein paar Tage aufheben.

• Mangold wird in Deutschland nur sehr wenig angebaut. Wir importieren ihn vorwiegend aus Italien. Man kann von ihm die Blätter und die Stiele verwenden. Hauptsaison ist von Mai bis September.
Mangold sollten Sie nicht lagern, sondern möglichst sofort verwenden.

• Spinat gibt es in verschiedenen Sorten, die über das Jahr verteilt geerntet werden. Deshalb kann man ihn ganzjährig kaufen. Er schmeckt roh und gegart und sollte möglichst nicht aufgewärmt werden, da sich dabei größere

Mengen des gesundheitsschädlichen Nitrats bilden können.
Er hält sich im Gemüsefach des Kühlschranks nur kurz und sollte möglichst sofort verzehrt werden.

Champignons

Sie werden in großen Mengen gezüchtet und kommen das ganze Jahr über frisch auf den Markt. Die weiße und die braune Sorte, die Egerlinge, sind die am meisten verbreiteten unter den vielen Champignonarten.
Im Gemüsefach des Kühlschranks können Sie sie etwa drei Tage aufbewahren.

Hülsenfrüchte

- Erbsen werden von Juni bis Ende September geerntet. Die zarten Zuckerschoten, die im ganzen verzehrt werden, haben von Dezember bis September Saison. Frische Erbsen sollten Sie gleich verwenden.
- Grüne Bohnen kann man aus deutschem und italienischem Anbau von Mai bis Dezember überall auf den Märkten kaufen. Inzwischen ist vielerorts auch die in Kenia angebaute Sorte ganzjährig erhältlich.

In Folie gewickelt und im Gemüsefach des Kühlschranks können Sie frische grüne Bohnen bis zu zwei Tage aufbewahren.

Zwiebelgemüse

- Frischen Knoblauch kann inzwischen das ganze Jahr über kaufen, wer einen großen Markt in der Nähe hat, der seine Ware aus der ganzen Welt bezieht. Hauptsaison hat er allerdings im Frühjahr und Sommer, getrocknet erhält man ihn überall das ganze Jahr über. Frische Knollen heben Sie am besten im Gemüsefach des Kühlschranks auf, getrockneter Knoblauch muß kühl, luftig und trocken lagern.
- Lauch wird auch Porree genannt. Von Mai bis Dezember ist der deutsche Lauch auf dem Markt, danach kommt er hauptsächlich aus Holland.

Sie können ihn im Gemüsefach des Kühlschranks ohne weiteres eine Woche aufbewahren. Dazu am besten einwickeln, damit er sein Aroma nicht auf empfindliche Produkte überträgt.

- Zwiebeln gibt es in verschiedenen Sorten: Küchenzwiebel, Gemüsezwiebel, die rote und weiße Zwiebel, Schalotte, Silberzwiebel und Frühlingszwiebel sind die wichtigsten.

Frühlingszwiebeln hebt man am besten im Kühlschrank auf, die übrigen lassen sich an einem kühlen, luftigen, trockenen und dunklen Ort mehrere Monate lagern. Nur die rote Zwiebel sollten Sie schneller verbrauchen.

Klassischer Gemüsefond – Grundrezept für etwa 1¾ l

2 Zucchini, 1 Fenchelknolle, 2 Stangen Lauch, 2 Stangen Staudensellerie, je 1 Bund Petersilie, Estragon, Thymian und Basilikum, 3 Zwiebeln, 2 Knoblauchzehen waschen, trockenreiben, putzen und zerkleinern. In 2 Eßlöffeln Sonnenblumenöl Zwiebeln und Kräuter anbraten. 10 schwarze zerstoßene Pfefferkörner mit dem restlichen Gemüse und dem Knoblauch bei schwacher Hitze etwa 12 Minuten dünsten, dabei gelegentlich umrühren. 2 l Wasser dazugießen, 1 Teelöffel Salz einstreuen und aufkochen lassen. Den entstehenden Schaum abschöpfen und den Fond etwa 30 Minuten köcheln lassen. Anschließend durch ein feines Mulltuch gießen. Der Fond hält sich bis zu 5 Tagen im Kühlschrank.
Sie können den Fond natürlich auch einfrieren – am besten in kleinen, Ihrem Verbrauch entsprechenden Portionen.

Zutaten für je 4 Personen

Gemüseauflauf
250 g festkochende Kartoffeln
Salz
250 g grüne Bohnen
250 g Auberginen
250 g Zucchini
750 g Tomaten
1 große Zwiebel
5 Eßl. Olivenöl
je 1/2 Bund Petersilie, Thymian und Oregano
5 Knoblauchzehen
20 schwarze Oliven
125 ml Gemüsebrühe

Zubereitungszeit: etwa 2 Stunden (davon 1 1/4 Stunden Backzeit)

Rosenkohlauflauf
500 g mehligkochende Kartoffeln
Salz · 700 g Rosenkohl
4 Tomaten
2 Knoblauchzehen
je 2 Zweige Oregano, Thymian und Basilikum
12 schwarze Oliven
1 Prise Chilipulver
3 Eßl. Olivenöl
1 Eßl. Kapern
300 g Mozzarella
40 g Parmesan, frisch gerieben
1 Eßl. Butter

Zubereitungszeit: etwa 50 Minuten

Gemüseauflauf

Braucht etwas Zeit • Für Gäste

• Kartoffeln waschen, schälen, in Scheiben schneiden und etwa 20 Minuten in Salzwasser garen. Bohnen putzen, waschen und halbieren. In kochendem Salzwasser etwa 7 Minuten garen. Abgießen und abschrecken. Auberginen, Zucchini und Tomaten waschen, trockenreiben und in etwa 1/2 cm dicke Scheiben schneiden. Die Zwiebel schälen und grob würfeln.

• Den Backofen auf 180° vorheizen. Eine Auflaufform fetten. Die Hälfte der Gemüse hineinschichten, salzen und etwas Olivenöl darüber träufeln.

• Kräuter waschen, trockenschütteln und hacken. Knoblauch schälen und fein würfeln. Oliven entsteinen und hacken. Alles mit der Gemüsebrühe vermischen und zur Hälfte in die Form gießen.

• Die restlichen Gemüse einschichten. Kräutermischung und Olivenöl darüber gießen. Mit Alufolie abdecken und im Backofen (Mitte, Umluft 160°) etwa 1 1/4 Stunden backen. Alufolie nach 45 Minuten entfernen.

Pro Portion etwa: 365 kcal/1520 kJ

Rosenkohlauflauf

Im Bild • Spezialität aus Venetien

• Kartoffeln waschen, schälen und in dünne Scheiben schneiden. In Salzwasser etwa 15 Minuten kochen.

• Inzwischen den Rosenkohl waschen, putzen und an den Stielenden kreuzförmig einschneiden. Über kochendem Wasser etwa 10 Minuten dämpfen (siehe vordere Umschlagklappe). Den Backofen auf 200° vorheizen.

• Tomaten waschen und ohne Stielansätze grob würfeln. Knoblauch schälen, fein würfeln. Kräuter waschen und hacken, Oliven entsteinen und hacken.

• Eine große Auflaufform leicht fetten. Kartoffeln hineinlegen, Rosenkohl darüber schichten und darauf die Tomaten verteilen, salzen. Chilipulver, Oliven, Kapern, Knoblauch und Kräuter mischen, über das Gemüse geben und mit dem Olivenöl beträufeln. Mozzarella in Scheiben schneiden, darauf legen und mit Parmesan bestreuen. Butter in Flöckchen darauf verteilen. Auflauf im Backofen (Mitte, Umluft 180°) etwa 15 Minuten backen.

Pro Portion etwa: 485 kcal/2035 kJ

Moussaka

Klassiker • Schmeckt Kindern

Zutaten für 4 Personen

400 g Kartoffeln
1 kg Auberginen
8 Eßl. Olivenöl
Salz
500 g Zwiebeln
8 Knoblauchzehen
1 kg Tomaten
1 gute Prise Zimtpulver
1/2 Teel. Oregano
Pfeffer
1 Teel. Honig
150 g Pinienkerne
2 1/2 Eßl. Butter
1 Ei
Muskatnuß, frisch gerieben
Olivenöl für die Form

Zubereitungszeit: etwa 2 Stunden (davon 45 Minuten Backzeit)

• Den Backofen auf 180° vorheizen. Kartoffeln waschen und in der Schale mit Wasser bedeckt in 20–25 Minuten garen. Dann die Kartoffeln abgießen, schälen und zerstampfen.

• Inzwischen Auberginen waschen, trockenreiben und in etwa 1 cm dicke Scheiben schneiden. Ein großes Backblech mit 2 Eßlöffeln Olivenöl einstreichen, die Auberginenscheiben darauf legen, leicht salzen, mit 3 Eßlöffeln Olivenöl beträufeln und im Backofen (Mitte, Umluft 160°) etwa 20 Minuten backen. Nach etwa 10 Minuten einmal wenden. Den Backofen dann eingeschaltet lassen.

• Gleichzeitig Zwiebeln und Knoblauch schälen und fein würfeln. Tomaten kreuzweise einritzen, überbrühen, häuten und ohne Stielansätze würfeln. Restliches Olivenöl in einer Pfanne erhitzen, Zwiebeln und Knoblauch in etwa 5 Minuten glasig dünsten, dann bei stärkerer Hitze Farbe annehmen lassen. Zimt dazugeben, kurz mit erhitzen, Tomaten, Oregano, Salz, Pfeffer und Honig hinzufügen und etwa 30 Minuten köcheln lassen, ab und zu umrühren.

• Währenddessen die Pinienkerne in einer beschichteten Pfanne in etwa 5 Minuten unter Rühren goldbraun rösten. Die Butter schmelzen lassen.

• Das Ei trennen und das Eigelb mit 1 Eßlöffel Butter, Muskat, Salz und Pfeffer unter die Kartoffelmasse mischen. Das Eiweiß steif schlagen und unterheben.

• Eine feuerfeste Form fetten. Den Boden mit einer Schicht Auberginen bedecken, ein Viertel der Pinienkerne darauf streuen, mit etwas Tomatensauce bestreichen. Den Vorgang zweimal wiederholen, übrige Kartoffelmasse obenauf streichen und mit den restlichen Pinienkernen bestreuen. Die übrige Butter eventuell noch einmal erwärmen und darüber träufeln. Im Backofen (Mitte) etwa 45 Minuten backen.

Pro Portion etwa: 565 kcal/2340 kJ

Zutaten für je 4 Personen

Broccoli-Kartoffel-Auflauf
500 g festkochende Kartoffeln
500 g Broccoli
Salz
Muskatnuß, frisch gerieben
Pfeffer
50 g Sahne
80 g Greyerzer, frisch gerieben
1 Eßl. Butter
Butter für die Form

Zubereitungszeit: etwa 50 Minuten

Zucchini-Tomaten-Auflauf
500 g Zucchini
300 g Tomaten
je 2 Zweige Basilikum, Oregano und Thymian
1/2 Bund Petersilie
10 schwarze Oliven
2 Knoblauchzehen
200 g Schafkäse (Feta)
Salz
Pfeffer
4 Eßl. Olivenöl
Olivenöl für die Form

Zubereitungszeit: etwa 35 Minuten

Broccoli-Kartoffel-Auflauf

Auch als Beilage • Gelingt leicht

• Kartoffeln waschen, schälen, in dünne Scheiben schneiden und mit Wasser bedeckt etwa 15 Minuten kochen. Broccoli putzen, waschen und in Röschen zerteilen. In einen Dämpfeinsatz oder ein Sieb geben und über kochendem Wasser zugedeckt etwa 10 Minuten garen. Den Backofen auf 200° vorheizen.

• Eine große, flache Auflaufform fetten. Die Kartoffeln und darauf den Broccoli in mehreren Lagen einschichten. Jede Lage leicht salzen, mit Muskat und Pfeffer würzen. Zuletzt die Sahne über das Gemüse gießen. Den Käse und die Butter obenauf verteilen. Das Gratin im Backofen (Mitte, Umluft 180°) etwa 15 Minuten überbacken.

Pro Portion etwa: 1095 kcal/260 kJ

Variante:
1 Dose Thunfisch mit einer Gabel zerpflücken und auf die Kartoffeln geben.

Zucchini-Tomaten-Auflauf

Ganz einfach • Im Bild

• Den Backofen auf 200° vorheizen. Eine große flache Auflaufform mit Olivenöl ausstreichen. Zucchini und Tomaten waschen, trockenreiben und in dünne Scheiben schneiden, dabei die Stielansätze entfernen. Kräuter waschen, trockenschütteln und hacken. Oliven entkernen und fein würfeln. Knoblauch schälen und in Scheiben schneiden. Den Schafkäse zerbröckeln.

• Zucchini und Tomaten abwechselnd dachziegelartig in die Form einschichten. Mit Salz und Pfeffer bestreuen. Knoblauch, Kräuter und Oliven darübergeben und das Olivenöl und den Schafkäse darüber verteilen. Das Gemüse im Backofen (Mitte, Umluft 180°) etwa 20 Minuten überbacken.

Pro Portion etwa: 240 kcal/990 kJ

Mangoldauflauf

Für Gäste • Raffiniert

• Kartoffeln waschen, schälen und in Scheiben schneiden. In Salzwasser etwa 15 Minuten kochen. Abgießen und abtropfen lassen.

• Inzwischen den Backofen auf 180° vorheizen. Mangold putzen, waschen und trockentupfen. Die weißen Stielansätze abschneiden und in feine Streifen schneiden. Zwiebel und Knoblauch schälen und fein hacken. Kräuter waschen, trockenschütteln und hacken. 1 Eßlöffel Olivenöl in einer kleinen Pfanne erhitzen, Zwiebel und die Hälfte des Knoblauchs etwa 3 Minuten unter Rühren anbraten. Mangoldstiele, Salz, Thymian und Pfeffer dazugeben und unter Rühren etwa 2 Minuten braten.

• Reichlich Salzwasser zum Kochen bringen, die Mangoldblätter darin etwa 1 Minute blanchieren (siehe vordere Umschlagklappe).

• Tomaten waschen und ohne Stielansätze in Würfel schneiden. Mit dem restlichen Knoblauch und Basilikum vermischen und mit Salz und Pfeffer abschmecken. Champignons putzen, abreiben und in Scheiben schneiden.

• Eine große flache Auflaufform mit Öl einstreichen. Den Boden mit einer Lage Mangoldblätter bedecken, darauf die Kartoffelscheiben eng nebeneinanderlegen und mit einem Drittel des Parmesans bestreuen. Darauf Champignons und Petersilie verteilen, leicht salzen, wieder mit einem Drittel des Parmesans bestreuen. Die Tomatenmischung gleichmäßig darüber verteilen und mit einer dichten Lage von Mangoldblättern abschließen. Restlichen Parmesan darauf verteilen, mit dem übrigen Olivenöl beträufeln. Im Backofen (Mitte, Umluft 160°) etwa 25 Minuten backen.

Pro Portion etwa: 285 kcal/1190 kJ

Variante:

Dieser Auflauf schmeckt auch mit Fisch (zum Beispiel Schollen- oder Seelachsfilet) sehr gut. Den Fisch mit Zitronensaft beträufeln, mit Salz und Pfeffer würzen und in 2–3 Eßlöffeln Butter auf jeder Seite etwa 1 Minute braten. Die Fischfilets unter die letzte Lage Mangoldblätter legen. 1 Eßlöffel Pinienkerne darüber gestreut, gibt dem Gericht den besonderen Pfiff.

Zutaten für 4 Personen

400 g mehligkochende Kartoffeln
Salz
500 g Mangold
1 Zwiebel
6 Knoblauchzehen
1 Zweig Thymian
1/2 Bund Basilikum
3 Eßl. Olivenöl
Pfeffer
400 g Tomaten
300 g Champignons
100 g Parmesan, frisch gerieben
1 Bund Petersilie
Olivenöl für die Form

Zubereitungszeit:
etwa 1 Stunde

Polenta-Auflauf mit Gemüse

Im Bild • Schmeckt Kindern

• Den Backofen auf 200° vorheizen. Paprikaschote waschen, trockenreiben, putzen und würfeln. Frühlingszwiebeln putzen, waschen und in Ringe schneiden. 2 Eßlöffel Öl in einer Pfanne erhitzen, Paprikawürfel darin etwa 2 Minuten anbraten. Frühlingszwiebeln und Oregano mitbraten. Den abgetropften Mais dazugeben. Eventuell etwas salzen.

• Gemüsefond zum Kochen bringen und die Polenta kräftig einrühren. Vom Herd nehmen und etwa 5 Minuten quellen lassen. 60 g Käse unterrühren. Eine Auflaufform gut fetten. Die Hälfte der Polenta darin verteilen.

• Die Eier und 60 g Käse unter das Gemüse heben. Mit Cayennepfeffer abschmecken und auf die Polenta geben. Restliche Polenta darauf verteilen.

• Butter schmelzen und auf die Polenta pinseln. Restlichen Käse darüber streuen und im Backofen (Mitte, Umluft 180°) etwa 35 Minuten backen.

Pro Portion etwa: 1510 kcal/360 kJ

Wirsingauflauf

Klassiker • Gelingt leicht

• Kartoffeln schälen, in Scheiben schneiden und in Salzwasser etwa 15 Minuten garen. In zwei Töpfen Wasser zum Kochen bringen. Wirsing putzen, waschen und in Streifen schneiden. Möhren waschen, schälen und schräg in Scheiben schneiden. Wirsing und Möhren getrennt etwa 5 Minuten vorgaren.

• Inzwischen Frühlingszwiebeln putzen und in Ringe schneiden. Das Olivenöl erhitzen und die Zwiebeln darin etwa 3 Minuten anbraten. Petersilie waschen, trockenschütteln und hacken.

• Eine feuerfeste Form gut fetten. Kartoffeln und darauf die Möhren hineinlegen. Darauf die Frühlingszwiebeln und den Wirsing verteilen und pfeffern.

• Die Eier verrühren und mit dem Quark und der Stärke verrühren. Die Petersilie unterheben und die Masse auf dem Wirsing verteilen. Die Sonnenblumenkerne darauf streuen und den Auflauf im Backofen (Mitte, Umluft 160°) etwa 25 Minuten backen.

Pro Portion etwa: 310 kcal/1295 kJ

Zutaten für je 6 Personen

Polenta-Auflauf

1 rote Paprikaschote
2 Frühlingszwiebeln
3 Eßl. Sonnenblumenöl
1 Teel. getrockneter Oregano
1 Dose Mais (400 g Inhalt)
Salz
1/2 l Gemüsefond (Seite 59; ersatzweise Gemüsebrühe)
100 g Polenta (Maisgrieß)
150 g Emmentaler, frisch gerieben
2 Eier
Cayennepfeffer
2 Eßl. Butter
Öl für die Form

Zubereitungszeit: etwa 1 Stunde

Wirsingauflauf

500 g Kartoffeln · Salz
1 mittelgroßer Wirsing (etwa 750 g)
1 Bund Möhren (etwa 250 g)
4 Frühlingszwiebeln
3 Eßl. Olivenöl
1 Bund Petersilie
schwarzer Pfeffer
2 Eier · 300 g Sahnequark
2 Eßl. Speisestärke
2 Eßl. Sonnenblumenkerne
Butterschmalz für die Form

Zubereitungszeit: etwa 1 Stunde

Zutaten für je 4 Personen

Kohlrabi-Möhren-Auflauf
Salz
400 g Kohlrabi
400 g dicke Möhren
2 Eier
250 g Sahne
Muskatnuß, frisch gerieben
abgeriebene Schale von
1/2 unbehandelten Orange
3 Teel. Speisestärke
3 Eßl. Orangensaft
1 Eßl. grob gehackte
Haselnüsse
Butter für die Form

Zubereitungszeit:
etwa 45 Minuten

Spinat-Lasagne
300 g Champignons
1 Zwiebel
1 Knoblauchzehe
4 Eßl. Butter
400 g Spinat
1/4 l Gemüsebrühe
1 1/2 Eßl. Mehl
1/4 l Milch
Salz
Muskatnuß, frisch gerieben
8 Lasagneblätter
(ohne Vorkochen)
100 g Parmesan, frisch
gerieben
Butter für die Form

Zubereitungszeit:
etwa 1 Stunde

Kohlrabi-Möhren-Auflauf

Im Bild • Raffiniert

• Den Backofen auf 200° vorheizen. In zwei Töpfen Salzwasser zum Kochen bringen. Kohlrabi und Möhren waschen, putzen, schälen und in dünne Scheiben schneiden. Beides getrennt etwa 4 Minuten blanchieren. Abtropfen lassen.

• Die Eier trennen. Sahne und Eigelbe verrühren, mit Muskat würzen und die Orangenschale hinzufügen. Stärkemehl und Orangensaft vermischen und unterrühren. Eiweiße mit 1 Prise Salz steif schlagen und unterziehen.

• Eine feuerfeste Form fetten und mit einer Schicht Kohlrabischeiben auslegen. Darauf eine Lage Möhren legen und etwas von der Eimischung daraufgeben. Je nach Größe der Auflaufform mehrere Schichten legen. Mit der Eimischung abschließen. Die Haselnüsse darauf streuen und den Auflauf im Backofen (Mitte, Umluft 180°) etwa 20 Minuten backen.

Pro Portion etwa: 260 kcal/1090 kJ

Spinat-Lasagne

Für Gäste • Preiswert

• Den Backofen auf 200° vorheizen. Champignons putzen, abreiben und blättrig schneiden. Zwiebel und Knoblauch schälen und fein würfeln. 2 Eßlöffel Butter erhitzen und Pilze und Zwiebel darin etwa 4 Minuten dünsten.

• Spinat verlesen, waschen und in der kochenden Gemüsebrühe zusammenfallen lassen. Gut ausdrücken und hacken. Mit 1 Eßlöffel Butter und dem Knoblauch kurz andünsten.

• Die restliche Butter erhitzen, das Mehl darin anschwitzen. Milch erhitzen und mit dem Schneebesen einrühren. Zum Kochen bringen und mit Salz und Muskat abschmecken.

• Eine feuerfeste Form fetten. 2 Lasagneblätter hineinlegen und je ein Drittel Spinat und Brühe darauf verteilen. Ein Drittel der Champignons und etwas Béchamelsauce darübergeben. Noch zweimal so verfahren und mit Lasagneblättern abschließen. Restliche Sauce daraufgeben und mit Parmesan bestreuen. Im Backofen (Mitte, Umluft 180°) etwa 15 Minuten backen.

Pro Portion etwa: 470 kcal/1975 kJ

Zutaten für 4 Personen

400 g Tomaten
je 150 g Möhren, Zucchini, grüne Bohnen, Frühlingszwiebeln und gepalte Erbsen
2 Eßl. Olivenöl
3 Eßl. Butter
1/2 Teel. getrockneter Thymian
Salz
Pfeffer
1 1/2 Eßl. Mehl
1/4 l Milch
Muskatnuß, frisch gerieben
1 Eßl. Petersilie, frisch gehackt
8 Lasagneblätter (ohne Vorkochen)
200 g Parmesan, frisch gerieben
Fett für die Form

Zubereitungszeit: etwa 1 1/2 Stunden (davon 40 Minuten Backzeit)

Gemüselasagne

Braucht etwas Zeit • Läßt sich gut vorbereiten

• Alles Gemüse waschen und putzen. Aus den Tomaten die Stielansätze herausschneiden. Die Früchte überbrühen, quer halbieren, entkernen und in Stücke schneiden.

• Die Möhren schälen und mit den Zucchini, Bohnen und Frühlingszwiebeln kleinschneiden.

• Den Backofen auf 200° vorheizen. Olivenöl und 2 Eßlöffel Butter erhitzen und das Gemüse mit den Erbsen und dem Thymian bei mittlerer Hitze etwa 10 Minuten dünsten. Die Tomatenwürfel dazugeben und etwa 5 Minuten mitdünsten, dann salzen und pfeffern.

• Für die Béchamelsauce die restliche Butter in einem kleinen Topf erhitzen. Das Mehl darin anschwitzen. Die Milch erhitzen und mit dem Schneebesen darunterrühren. Die Sauce zum Kochen bringen und mit Salz und Muskat abschmecken.

• Zwei Drittel der Sauce unter das Gemüse rühren. Die Petersilie waschen, trockenschütteln, hacken und ebenfalls unter das Gemüse mischen.

• Eine feuerfeste Form fetten. Abwechselnd Lasagneblätter und Gemüse einschichten. Mit Gemüse abschließen. Restliche Sauce darüber verteilen und mit dem Käse bestreuen. Im Backofen (Mitte, Umluft 180°) etwa 40 Minuten backen.

Pro Portion etwa: 655 kcal/2780 kJ

Variante:
Dieses Gericht schmeckt auch mit Auberginen und Zucchini: 400 g Zucchini und 400 g Auberginen waschen, trockenreiben, putzen und längs in Scheiben schneiden. Nacheinander in je 3 Eßlöffeln Olivenöl auf beiden Seiten anbraten. Mit Salz und Pfeffer würzen. Wie oben beschrieben einschichten, aber die Sauce jeweils auf eine Lage Zucchini und Auberginen geben. Die Garzeit im Backofen verkürzt sich auf etwa 30 Minuten.

Ver packungs künstler

Gerollt und gefüllt

Gemüse, Käse, Reis und Nüsse lassen sich in Wirsing, Mangold oder Kohl hübsch verpacken oder in Crêpes einrollen. Alle großblättrigen Gemüse eignen sich dazu. Sie und ihre anderen »Kollegen« präsentieren sich hier und auf den Seiten 58 und 59.

Fruchtgemüse

• Auberginen kommen aus Freilandkulturen ganzjährig aus dem Mittelmeerraum. In Holland und Deutschland werden sie unter Glas oder Folie angebaut.
Da Auberginen sehr empfindlich sind, sollten Sie sie im Kühlschrank nicht länger als zwei Tage und nicht zusammen mit Tomaten oder Obst aufbewahren.

• Paprikaschoten gibt es in verschiedenen Sorten, Formen, Farben und Reifezuständen. Sie sind ganzjährig erhältlich und werden bei uns aus etwa 20 Ländern eingeführt.
Im Gemüsefach des Kühlschranks halten sie sich bis zu 10 Tagen.

• Tomaten aus dem Freiland werden im Sommer aus Deutschland und dem Mittelmeerraum angeboten, Treibhausware aus Holland und Belgien erhält man das ganze Jahr über.
Im Kühlschrank verlieren Tomaten ihr Aroma. Harte Früchte dürfen nachreifen, reife Tomaten bleiben etwa drei Tage frisch.

Kürbisgemüse

• Zucchini kommen aus verschiedenen europäischen Ländern ganzjährig zu uns. Aus heimischem Freilandanbau sind sie im Sommer und im Herbst auf dem Markt.
Im Gemüsefach des Kühlschranks sind sie etwa zwei Wochen haltbar.

Wurzel- und Knollengemüse

• Kartoffeln aus Deutschland haben von Juni bis Oktober Saison. Danach erhalten Sie Import- oder Lagerware. Von der Kocheigenschaft her werden sie unterschieden in festkochende, vorwiegend festkochende und mehligkochende Sorten. Grüne Flecken und Keimansätze (»Augen«) bitte entfernen!
Kartoffeln können Sie kühl, trocken und dunkel – je nach Sorte – bis zu mehrere Monate lagern. Aber niemals im Kühlschrank!

• Knollensellerie ist ganzjährig erhältlich. Im Sommer kann man ihn aus heimischem Anbau erwerben, ansonsten kommt er aus Holland, Frankreich oder Belgien.
Im Gemüsefach des Kühlschranks bleibt er etwa drei Wochen lang frisch.
• Möhren werden in einheimischer Produktion von Juni bis September geerntet, aus Import- und Lagerware sind sie den Rest des Jahres erhältlich.
Sie halten sich im Kühlschrank etwa eine Woche. Von Bundmöhren immer das Grün abschneiden, es entzieht Feuchtigkeit.

Kohlgemüse

• Blumenkohl wird bei uns von Mai bis Oktober geerntet, den Rest des Jahres werden wir mit Köpfen aus Frankreich, Italien und Spanien versorgt. Mittlerweile gibt es neben der weißen auch eine gelbgrüne Sorte mit spitzen Röschen, den Romanesco.
Dunkel und kühl, vor allem nicht zusammen mit Obst, gelagert hält er sich etwa eine Woche lang frisch.
• Broccoli kommt aus Italien ganzjährig zu uns, in Deutschland wird er zwischen August und Oktober geerntet.
Wenn Sie ihn einkaufen, darf er keine gelben Stellen haben. Im Kühlschrank hält er sich etwa zwei Tage.

• Kohl ist ein typisches Wintergemüse. Deutschland ist eines der führenden Anbauländer, und man erhält heimischen Kohl das ganze Jahr über.
Im Gemüsefach des Kühlschranks halten sich die Köpfe etwa zwei Wochen.
• Kohlrabi hat Saison von April bis Oktober. In Deutschland wird mehr als die Hälfte des Marktangebots angebaut.
Sie können ihn getrost eine Woche im Gemüsefach des Kühlschranks aufbewahren, sollten allerdings vorher die Blättchen abschneiden.
• Rosenkohl aus deutscher Produktion hat von Ende August bis Dezember Saison.
Die kleinen Röschen halten sich nur etwa zwei Tage im Kühlschrank.
• Wirsing gibt es aus deutschem Anbau das ganze Jahr über.
Wirsing ist im Gemüsefach des Kühlschranks etwa sechs Tage haltbar.

Kräftiger Gemüsefond (Grundrezept für 2 l)

3 große Möhren, 2 Stangen Lauch, 3 Stangen Staudensellerie, 1 Sellerieknolle, 4 Tomaten, 100 g Champignons, 2 Zwiebeln und 6 Knoblauchzehen putzen, waschen und würfeln. 2 Bund Petersilie und je 3 Zweige Thymian und Majoran hacken.
2 Eßlöffel Sonnenblumenöl in einem Topf erhitzen. Zwiebeln und Kräuter darin anbraten.
10 Pfefferkörner grob zerstoßen und mit 2 Lorbeerblättern, dem Gemüse und dem Knoblauch hinzufügen. Alles bei schwacher Hitze etwa 12 Minuten dünsten. Gelegentlich umrühren. 2 1/2 Liter Wasser dazugießen, salzen und aufkochen lassen. Den entstehenden Schaum abschöpfen und den Fond etwa 1 1/2 Stunden köcheln lassen. Anschließend durch ein feines Mulltuch gießen.
Der Fond hält sich bis zu 5 Tagen im Kühlschrank.
Sie können ihn auch einfrieren. Einen klassischen Fond finden Sie auf Seite 59.

Rotkohlroulade mit Nußfüllung

Raffiniert • Etwas aufwendiger

Zutaten für 4 Personen

Salz
1 kleiner Rotkohl (etwa 1 kg)
100 g Egerlinge
1 Zwiebel
3 Knoblauchzehen
4 Eßl. Sonnenblumenöl
50 g Butter
100 g Vollkorn-Semmelbrösel
175 g gemischte Nüsse (Paranüsse, Cashewnüsse, Walnüsse, Haselnüsse), frisch gehackt
1 Eßl. Kräuter der Provence
abgeriebene Schale von 1 unbehandelten Zitrone
Pfeffer
300 ml Gemüsefond (Seite 77; ersatzweise Gemüsebrühe)
100 g Joghurt
150 g Crème fraîche
1/2 Teel. Paprikapulver, edelsüß

Zubereitungszeit: etwa 1 1/4 Stunden (davon 45 Minuten Backzeit)

• In einem großen Topf reichlich Salzwasser zum Kochen bringen. Aus dem Kohl den Strunk keilförmig herausschneiden. Kohl im kochenden Salzwasser etwa 15 Minuten garen. Herausnehmen und vorsichtig 8–12 äußere Blätter ablösen, auf ein Küchentuch legen und trockentupfen. Die Mittelrippe flach schneiden. Den restlichen Kohl in feine Streifen schneiden.

• Den Backofen auf 180° vorheizen. Für die Füllung Pilze putzen, abreiben und fein hacken. Die Zwiebel und den Knoblauch schälen und fein hacken. 1 Teelöffel Öl und 1/2 Eßlöffel Butter in einer Pfanne erhitzen. Die Semmelbrösel und die Nüsse darin etwa 3 Minuten rösten. Die Mischung in eine Schüssel geben. Die Pfanne auswischen. Das restliche Öl und 1 Eßlöffel Butter erhitzen und die Zwiebel darin glasig braten. Pilze und Kohlstreifen hinzufügen und bei mittlerer Hitze etwa 5 Minuten dünsten. Knoblauch und Kräuter einrühren und weitere 2 Minuten dünsten. Zur Nußmischung geben.

• Die Hälfte der Zitronenschale, Kräuter, Salz, Pfeffer und Gemüsebrühe miteinander verrühren.

• Eine Auflaufform von etwa 28 cm Durchmesser fetten. Mit den Rotkohlblättern so auslegen, daß die Form total ausgekleidet ist und die Blätter am Rand überstehen. Kohlblätter zum Zudecken übrig behalten.

• Die Füllung in die Mitte der Auflaufform geben, restliche Butter in Flocken darauf setzen. Kohlblätter darauf legen und die überstehenden Ränder darüber schlagen. Die Gemüsebrühe über die Kohlblätter gießen. Das Gericht mit Alufolie bedecken und im Backofen (Mitte, Umluft 160°) etwa 45 Minuten backen.

• Für die Sauce Joghurt, Crème fraîche, Paprikapulver, Salz und restliche Zitronenschale vermischen. Die Rotkohlroulade in Scheiben schneiden und mit der Sauce servieren.

Pro Portion etwa: 710 kcal/2960 kJ

Chinesische Krautwickel

Gelingt leicht • Raffiniert

• Tofu in kleine Würfel schneiden. Ingwer schälen und reiben. Knoblauch schälen und fein würfeln. Aus Sojasauce, Ingwer, Chilipfeffer und Knoblauch eine Marinade anrühren, die Tofuwürfel darin etwa 1 Stunde marinieren. Dann abgießen und abtropfen lassen, die Marinade auffangen.

• In einem großen Topf Salzwasser zum Kochen bringen. Aus dem Kohl den Strunk keilförmig herausschneiden. Kohl in kochendem Salzwasser etwa 15 Minuten garen. Den Backofen auf 180° vorheizen.

• Den Kohl herausnehmen und vorsichtig 12 äußere Blätter ablösen, auf ein Küchentuch legen und trockentupfen. Die Mittelrippen flach schneiden. Den restlichen Kohl in feine Streifen schneiden. Möhren und Sellerie waschen, schälen und grob raspeln. Frühlingszwiebeln putzen, waschen und in feine Ringe schneiden. Sojasprossen waschen und gut abtropfen lassen.

• In einer kleinen Pfanne 1/2 Eßlöffel Öl erhitzen, 1/2 Eßlöffel Sesam und die Tofuwürfel unter Rühren braten, mit der Marinade aufgießen und leicht köcheln lassen, bis die Sauce eingekocht ist. Mit geschnittenem Kohl, Möhren, Sellerie, Frühlingszwiebeln, Sprossen und Salz vermischen.

• Auf jedes Krautblatt 2 Eßlöffel Füllung geben. Die Krautblätter einschlagen, aufwickeln und mit je 2 Zahnstochern feststecken.

• In einer flachen feuerfesten Form das restliche Öl erhitzen. Die Krautwickel eng nebeneinander in die Form legen, kurz auf der Unterseite goldbraun anbraten. Mit dem restlichen Sesam bestreuen.

• Mit Gemüsebrühe aufgießen, die Flüssigkeit soll 1 cm hoch in der Form stehen. Die Brühe auf dem Herd zum Kochen bringen. Die Krautwickel im Backofen (Mitte, Umluft 160°) etwa 20 Minuten backen. Die Krautwickel dabei ab und zu mit Brühe übergießen. Bei Bedarf noch etwas Brühe nachgießen. Mit süß-scharfer Thai-Chilisauce (Fertigprodukt) servieren.

Pro Portion etwa: 205 kcal/860 kJ

Zutaten für 4 Personen

100 g Tofu
1 Stück frischer Ingwer (etwa 2 cm)
2 Knoblauchzehen
4 Eßl. Sojasauce
1 Prise Chilipfeffer
Salz
1 kleiner Weißkohl (etwa 1 kg)
100 g Möhren
50 g Staudensellerie
3 Frühlingszwiebeln
100 g Sojasprossen
2 1/2 Eßl. Öl
1 Eßl. ungeschälte Sesamsamen
1/4 l Gemüsebrühe
24 Zahnstocher zum Feststecken
Öl für die Form

Marinierzeit: 30 Minuten
Zubereitungszeit: etwa 1 1/4 Stunden

Crêpes-Päckchen mit zwei Füllungen

Etwas aufwendiger • Für Gäste

• Für den Teig Mehl in eine Schüssel sieben. Milch und Eier verquirlen und unter das Mehl rühren. Mit Salz abschmecken und etwa 1 Stunde ruhen lassen. Dann die Butter schmelzen und unter den Teig rühren.

• In einer Crêpepfanne für jeden Crêpe etwas Butterschmalz zerlassen und 3–4 Eßlöffel Teig in die Pfanne geben. Die Pfanne schwenken, damit sich der Teig auf dem gesamten Boden verteilt. Sobald der Teig fest wird, Crêpe mit einem Spatel wenden. Auf diese Weise 8 Crêpes ausbacken und warm stellen. Den Backofen auf 200° vorheizen. 4 Gratinformen fetten.

• Für die Roquefort-Füllung die Äpfel schälen, ohne die Kerngehäuse würfeln und den Sherry darübergeben. Roquefort zerbröckeln. Walnüsse hacken, beides mit den Äpfeln mischen. Die Füllung auf 4 Crêpes verteilen. Die Crêpes wie einen Briefumschlag zusammenfalten und auf den Gratinformen verteilen.

• Für die Pilzfüllung die Champignons putzen, abreiben und würfeln. Schalotten schälen und würfeln. Die Butter erhitzen und die Pilze und Schalotten etwa 4 Minuten dünsten, mit Salz und Pfeffer würzen. Mit Wein ablöschen und bei mittlerer Hitze etwas einkochen lassen. Etwas abkühlen lassen und den Gouda unterheben. Füllung auf 4 Crêpes verteilen, diese wie einen Briefumschlag zusammenfalten und neben die anderen Crêpes legen.

• Pecorino mit Haselnüssen vermischen und über die Crêpes verteilen. Im Backofen (Mitte, Umluft 180°) etwa 15 Minuten überbacken.

Pro Portion etwa: 775 kcal/3245 kJ

Tip

Da der Crêpe-Teig immer mindestens 1 Stunde ruhen sollte, bevor Sie ihn ausbacken, ist es sinnvoll, die Crêpes am Tag vorher zuzubereiten, wenn Sie dieses Gericht für Gäste planen. Im Kühlschrank halten sie sich etwa 3 Tage. Übrigens können Sie die Crêpes auch als Dessert mit Früchte-Quark, Bananen-Joghurt oder Eis füllen. Ihrer Phantasie sind keine Grenzen gesetzt.

Zutaten für 4 Personen

Für die Crêpes:
150 g Mehl
1/4 l Milch
2 Eier
Salz
1 1/2 Eßl. Butter

Für die Roquefort-Füllung:
2 kleine Äpfel
2 Eßl. Sherry (oder Orangensaft)
75 g Roquefort
50 g Walnußkerne

Für die Pilzfüllung:
100 g Champignons
2 Schalotten
2 Eßl. Butter · Pfeffer
Salz
3 Eßl. Weißwein (oder Gemüsebrühe)
75 g Gouda, frisch grob gerieben

Zum Überbacken:
100 g Pecorino, frisch gerieben
50 g Haselnüsse
Butterschmalz zum Ausbacken und für die Form

Ruhezeit: 1 Stunde
Zubereitungszeit: etwa 1 Stunde

Zutaten für je 4 Personen

Pfannkuchen-Rouladen
6 Eier · 2 Eigelbe
550 ml Milch · 150 g Mehl
Salz
3 Eßl. Butterschmalz
200 g Blattspinat
100 g Walnußkerne
4 Eßl. Walnußöl
200 g Magerquark
Muskatnuß, frisch gerieben
125 g Mozzarella
300 ml Milch

Ruhezeit: 1 Stunde
Zubereitungszeit: etwa
1 1/2 Stunden (davon
45 Minuten Backzeit)

Wirsingpäckchen
je 1 rote, grüne und gelbe
Paprikaschote
1 kleiner Wirsing
Salz
4 1/2 Eßl. Olivenöl
100 g Schafkäse (Feta)
Pfeffer
1/2 Bund Majoran
1/2 Bund Petersilie
2 Knoblauchzehen
6 schwarze Oliven
50 g Vollkorn-Semmelbrösel
1 Teel. Rosmarin
abgeriebene Zitronenschale
von 1 unbehandelten Zitrone

Zubereitungszeit:
etwa 50 Minuten

Pfannkuchen-Rouladen

Raffiniert • Im Bild

• 2 Eier, 1 Eigelb und 1/4 l Milch verquirlen, Mehl und Salz einrühren. Den Teig etwa 1 Stunde ruhen lassen. Dann in einer Pfanne in heißem Butterschmalz 10–12 Pfannkuchen backen.

• Den Backofen auf 180° vorheizen. Salzwasser aufkochen lassen. Den Spinat verlesen, waschen und im Wasser zusammenfallen lassen. Abtropfen lassen, gut ausdrücken und hacken. Walnüsse je zur Hälfte fein und grob hacken.

• Die übrigen Eier trennen, Eigelbe mit Öl und Quark glattrühren. Spinat und fein gehackte Nüsse untermischen und mit Muskat und Salz abschmecken.

• Eine feuerfeste Form fetten. Die Pfannkuchen mit der Masse bestreichen, aufrollen und in die Form legen. Mozzarella würfeln und mit den grob gehackten Nüssen darauf verteilen. Restliches Eigelb und 300 ml Milch verquirlen und darüber gießen. Im Backofen (Mitte, Umluft 160°) etwa 45 Minuten backen.

Pro Portion etwa: 915 kcal/3825 kJ

Wirsingpäckchen

Gelingt leicht • Preiswert

• Paprikaschoten für etwa 12 Minuten unter den Grill legen, bis die Haut Blasen wirft, dabei einmal wenden. Herausnehmen, den Backofen auf 200° stellen. Schoten unter einem feuchten Tuch abkühlen lassen, häuten, halbieren und putzen.

• Inzwischen Wirsing putzen, waschen und 8 Blätter ablösen. In kochendem Salzwasser etwa 8 Minuten blanchieren und trockentupfen. Die Mittelrippen flach schneiden. Eine feuerfeste Form mit 1/2 Eßlöffel Öl fetten.

• Paprika und Feta in kleine Würfel schneiden, mit Salz und Pfeffer würzen und auf die Wirsingblätter verteilen. Die Blätter zusammenrollen und mit der Nahtstelle nach unten in die Form legen.

• Kräuter waschen, trockenschütteln und die Blättchen hacken. Knoblauch schälen und fein würfeln. Oliven entkernen und fein hacken. Alle übrigen Zutaten vermischen und über die Päckchen geben. Im Backofen (Mitte, Umluft 180°) etwa 10 Minuten überbacken.

Pro Portion etwa: 220 kcal/915 kJ

Sellerie-Gemüse-Strudel

Preiswert • Schmeckt Kindern

• Den Strudelteig auseinanderfalten und auf ein feuchtes Küchentuch legen.

• Für die Füllung Salzwasser zum Kochen bringen. Sellerieknolle waschen, schälen und würfeln. In Salzwasser in etwa 10 Minuten weich kochen. Dann abtropfen lassen und pürieren. Etwa 30 Minuten in den Kühlschrank stellen.

• Den Backofen auf 200° vorheizen. Das Backblech fetten. Tofu würfeln und mit dem Eiweiß pürieren. Sahne, Selleriepüree und Tofumasse gut mischen. Mit Salz, Pfeffer und Muskat würzen.

• Lauch, Zucchino und Möhren waschen, putzen und in dünne Stifte schneiden. Die Butter erhitzen und das Gemüse darin andünsten. Mit Salz und Pfeffer würzen. Etwas abkühlen lassen.

• Selleriemasse auf den Teig streichen, dabei einen Rand von etwa 4 cm freilassen. Gemüse auf dem Sellerie verteilen und den Teig mit Hilfe des Küchentuchs aufrollen. Die Nahtstelle mit Eigelb bestreichen und andrücken. Die Enden zusammenfalten und den Strudel mit der Nahtstelle nach unten auf das Blech legen.

• Den Strudel mit dem restlichen Eigelb bestreichen. Im Backofen (Mitte, Umluft 180°) etwa 25 Minuten backen.

• Für die Sauce das Gemüse waschen, putzen und in feine Würfel schneiden. Die Petersilie waschen, trockenschütteln und hacken. Die Butter erhitzen, das Gemüse darin etwa 3 Minuten dünsten und mit der Sahne aufgießen. Etwas köcheln lassen. Petersilie hinzufügen und mit Salz und Muskat abschmecken. Strudel in Scheiben geschnitten mit der Sauce servieren.

Bei 6 Personen pro Portion etwa:
210 kcal/885 kJ

Variante:
200 g Steinbutt- oder Seezungenfilet mit Zitrone, Salz und Pfeffer einreiben, in Streifen schneiden. In 2 Eßlöffeln Butter dünsten und mit dem Gemüse auf dem Selleriepüree verteilen. Dann aufrollen.

Zutaten für 4–6 Personen

1 Paket Strudelteig (Fertigprodukt)

Für die Füllung:
Salz
200 g Knollensellerie
50 g Tofu
1 Eiweiß
2 Eßl. Sahne
weißer Pfeffer
Muskatnuß, frisch gerieben
1 Stange Lauch
1 Zucchino
2 Möhren
1 Eßl. Butter

Für die Sauce:
1/2 Stange Lauch
1/2 Zucchino
1 kleine Möhre
1/2 Bund Petersilie
1 Eßl. Butter
100 g Sahne
Salz
Muskatnuß, frisch gerieben
1 Eigelb zum Bestreichen
Fett für das Blech

Zubereitungszeit: etwa 1 Stunde 10 Minuten

Zutaten für 4 Personen

Für die Sauce:
1 kg reife Eiertomaten
4 Eßl. Olivenöl
1 Knoblauchzehe
2 Zweige Thymian
Salz
Pfeffer

Für die Füllung:
je 1 Bund Petersilie und Basilikum
3 Eßl. Olivenöl
4 Eßl. Semmelbrösel
4 Eßl. Pecorino, frisch gerieben
2 Knoblauchzehen
Salz
Pfeffer
150 g Mozzarella

Für die Röllchen:
4 längliche Auberginen
Holzspießchen
4 Eßl. Olivenöl für das Blech

Zubereitungszeit:
etwa 1 1/4 Stunden

Auberginenröllchen auf Tomatensauce

Etwas aufwendiger • Dekorativ

• Für die Sauce die Tomaten kreuzweise einritzen, überbrühen, häuten und ohne die Stielansätze würfeln. Olivenöl erhitzen und die Tomatenwürfel darin andünsten. Knoblauch schälen und dazupressen. Thymian waschen, trockenschütteln, die Blättchen hacken und dazugeben. Mit Salz und Pfeffer würzen und etwa 30 Minuten köcheln lassen. Den Backofen auf 200° vorheizen.

• Für die Füllung Kräuter waschen, trockenschütteln und hacken. 1 Eßlöffel Olivenöl erhitzen, die Semmelbrösel darin rösten. Mit den Kräutern, dem Käse und 2 Eßlöffeln Olivenöl vermischen. Den Knoblauch schälen, durchpressen und untermischen. Mit Salz und Pfeffer würzen. Den Mozzarella abtropfen lassen und in dünne Scheiben schneiden.

• Für die Röllchen die Auberginen waschen, von den Stielansätzen befreien und längs in etwa 1/2 cm dicke Scheiben schneiden. Die Kräutermischung gleichmäßig auf die Auberginenscheiben streichen. Mit Mozzarellascheiben belegen und die Auberginen aufrollen. Mit Holzspießchen feststecken.

• Olivenöl auf das Blech träufeln und die Auberginenröllchen darin wenden. Die Röllchen im Backofen (Mitte, Umluft 180°) etwa 15 Minuten backen. Auf der Tomatensauce anrichten.

Pro Portion etwa: 445 kcal/1860 kJ

Variante:
Dieses Gericht können Sie auch mit Zucchini zubereiten, vorausgesetzt, Sie bekommen die größere, dickere Sorte, die häufig im Sommer angeboten wird. Sie verfahren genauso wie im Rezept angegeben. Da Zucchini viel milder sind, versuchen Sie doch mal statt Mozzarella Gouda oder Emmentaler, den können Sie auch grob reiben, statt in Scheiben zu schneiden.

Gebackene Weißkohlrouladen

Preiswert • Braucht etwas Zeit

• In einem großen Topf Salzwasser aufkochen lassen. Aus dem Kohl den Strunk keilförmig herausschneiden. Kohl mit Kümmel im kochenden Salzwasser etwa 20 Minuten garen.

• Gleichzeitig den Reis in 300 ml Salzwasser etwa 10 Minuten kochen, dann abtropfen lassen.

• Den Kohl aus dem Wasser nehmen und 8 äußere Blätter ablösen, auf ein Küchentuch legen und trockentupfen. Die Mittelrippen flach schneiden. Den restlichen Kohl in feine Streifen schneiden.

• Die Zwiebeln schälen und fein würfeln. Die Stielansätze aus 2 Tomaten herausschneiden. Die Früchte überbrühen, häuten, quer halbieren, entkernen und in Würfel schneiden. Den Käse grob reiben. Zwiebeln, Tomaten und Käse mit dem Reis mischen und das Ei unterheben. Mit Salz und Pfeffer würzen.

• Je 2 Kohlblätter halb übereinander legen und die Füllung darauf verteilen, dann zu Rouladen zusammenrollen. Eine feuerfeste Form fetten. Das Öl erhitzen und die Rouladen rundherum anbraten. Nebeneinander in die Form setzen. Restliche Tomate grob würfeln und mit der Brühe hinzufügen. Semmelbrösel, Parmesan und Thymian mischen und auf die Rouladen verteilen. Im Backofen (Mitte, Umluft 160°) etwa 40 Minuten backen.

• Petersilie waschen, trockenschütteln und hacken. Die Rouladen herausnehmen und warm stellen. Den Sud durch ein Sieb gießen, mit Tomatenpüree aufkochen lassen. Mit Salz, Pfeffer und dem Zucker abschmecken und zu den Rouladen servieren.

Pro Portion etwa: 605 kcal/2540 kJ

Zutaten für 4 Personen

Salz
1 mittelgroßer Weißkohl
1 Teel. Kümmel
150 g Langkornreis
250 g Zwiebeln
3 Fleischtomaten
100 g Emmentaler
100 g Gouda
1 Ei
Pfeffer
4 Eßl. Öl
1/8 l Gemüsebrühe
4 Eßl. Semmelbrösel
40 g Parmesan, frisch gerieben
1 Prise getrockneter Thymian
1 Bund Petersilie
250 g pürierte Tomaten (Fertigprodukt)
1 Prise Zucker
Fett für die Form

Zubereitungszeit:
etwa 1 1/2 Stunden
(davon 40 Minuten Backzeit)

Zutaten für je 4 Personen

Paprikarouladen
4 rote Paprikaschoten
4 gelbe Paprikaschoten
je 1/2 Bund Minze, Thymian, Oregano, fein gehackt
2 Knoblauchzehen
400 g Spinat
Salz
300 g Schafkäse (Feta)
2 Eier
Pfeffer
2 Eßl. Butter
Butter für die Form
Holzspießchen

Zubereitungszeit: etwa 50 Minuten

Mangoldpäckchen
200 g Reis
3/4 l Gemüsebrühe
Salz
1 kg Mangold
2 Möhren
1 Zwiebel
1 Stück Ingwer, 2 cm lang
2 Eßl. Butter
2 Eßl. Sahne
1 Ei
1/2 Teel. Currypulver
Butter für die Form

Zubereitungszeit: etwa 50 Minuten

Paprikarouladen

Etwas aufwendiger • Im Bild

• Die Paprikaschoten etwa 12 Minuten unter den Grill legen, bis die Haut dunkelbraune Blasen wirft, dabei einmal wenden. Die Schoten herausnehmen, etwas abkühlen lassen.

• Den Backofen auf 180° vorheizen. Den Knoblauch schälen und durchpressen. Wenig Wasser aufkochen lassen. Den Spinat verlesen, waschen und im kochenden Wasser zusammenfallen lassen. Abkühlen lassen, gut ausdrükken und grob hacken, mit Salz würzen. Feta, Eier, Knoblauch, Kräuter und Pfeffer separat gut vermischen.

• Die Paprikaschoten an einer Seite längs aufschneiden und putzen. Vorsichtig die Haut abziehen, die Schoten sollen in einem Stück bleiben. Die Schoten ausbreiten, mit dem Spinat, dann mit dem Kräuter-Feta bestreichen, aufrollen und feststecken.

• Eine kleine Auflaufform fetten und die Paprikarouladen dicht nebeneinander hineinlegen, mit Butter in Flöckchen belegen und im Backofen (Mitte, Umluft 160°) etwa 20 Minuten backen.

Pro Portion etwa: 375 kcal/1560 kJ

Mangoldpäckchen

Für Gäste • Raffiniert

• Reis in 1/2 l Gemüsebrühe in etwa 20 Minuten garen. Reichlich Salzwasser zum Kochen bringen. Mangold waschen, putzen, Stiele abschneiden und anderweitig verwenden. Blätter etwa 2 Minuten blanchieren und abtropfen lassen. Blattrippen flach schneiden.

• Möhren, Zwiebel und Ingwer schälen und fein würfeln. In der Butter etwa 5 Minuten dünsten. Reis durch ein Sieb gießen und abtropfen lassen. Den Backofen auf 180° vorheizen.

• Reis, Möhren, Zwiebel und Ingwer mit Sahne, Ei und Curry mischen.

• Mangoldblätter (bei kleinen 2 aufeinanderlegen) auf eine Arbeitsplatte legen und die Füllung als Häufchen in die Mitte setzen. Die Seiten der Blätter darüber schlagen und zusammenrollen.

• Eine feuerfeste Form fetten. Die Mangoldpäckchen hineinsetzen und mit der restlichen Gemüsebrühe übergießen. Im Backofen (Mitte, Umluft 160°) etwa 30 Minuten garen.

Pro Portion etwa: 1375 kcal/335 kJ

REGISTER

IMPRESSUM

Redaktion: Christine Wehling
Lektorat: Adelheid Schmidt-Thomé
Layout, Typographie und Umschlaggestaltung: H.-J. Beckers
Fotos: H.-J. Beckers
Umschlagfoto: Michael Brauner, Karlsruhe
Grafiken: H.-J. Beckers
Herstellung: Ina Hochbach
Satz: Filmsatz Schröter GmbH, München
Reproduktion: Penta Repro, München
Druck: Appl, Wemding
Bindung: Großbuchbinderei Monheim

ISBN 3-7742-2991-0

Auflage	5.	4.	3.	2.	1.
Jahr	02	01	2000	99	98

Gabriele Redden hat vier Jahre lang einen kleinen Kochbuchverlag geleitet und war dann zehn Jahre lang Leiterin des Ressorts Kochen bei einer bekannten Frauen-Zeitschrift. Heute ist sie freie Journalistin und Kochbuchautorin mit Wohnsitzen in München und Mallorca.

Heinz-Josef Beckers studierte an der Universität Essen GH (Folkwang) Kommunikations-Design. Food-, Stillife- und experimentelle Fotografie zählen ebenso zu seinem Tätigkeitsfeld wie die konzeptionelle und grafische Arbeit für Firmen, Verlage und Agenturen.

Käse für Backofengerichte

Diese Käse eignen sich am besten zum Füllen, Gratinieren und Überbacken. Der Fettgehalt bezieht sich immer auf die Käsetrockenmasse. Wenn man wissen will, wieviel Fett tatsächlich im Käse enthalten ist, multipliziert man die angegebene Prozentzahl, je nach Käsesorten

Frischkäse	mit 0,3
Weichkäse	mit 0,4
Schnittkäse	mit 0,5
Hartkäse	mit 0,6

Camembert

Ursprünglich stammt der Camembert aus der Normandie. Er ist der berühmteste Weichkäse mit weißem Edelschimmel. Früher stellte man ihn nur aus der Rohmilch von Kuh oder Ziege her. Heute verwendet man vorwiegend pasteurisierte Kuh- oder Ziegenmilch. Seit Mitte des 19. Jahrhunderts wird er auch in Deutschland produziert. Deutscher Camembert hat einen Fettgehalt zwischen 30 und 70 %. Er reift nur 9–15 Tage und hat je nach Reifegrad einen mild-sahnigen bis pikanten Geschmack.

Emmentaler

Ob aus dem Allgäu oder aus der Schweiz, dieser Hartkäse wird aus Rohmilch hergestellt, reift zwischen 3 und 12 Monaten und hat mindestens 45% Fett. Mit seinem kräftigen, nußartigen Geschmack eignet er sich besonders für herzhafte Gerichte.

Feta

Echter griechischer Feta wird ausschließlich aus Schafsmilch hergestellt und nach dem Formen und Pressen luftdicht verschlossen in Salzlake gelegt. Deutscher Feta wird aus Kuhmilch hergestellt. Der Frischkäse hat mindestens 45% Fettgehalt.